죽지 않는 엑스트라

인타임 페이퍼북 시리즈

죽지 않는 엑스트라 요마대전 제로 20 완결

ⓒ 토이카, 2021

초판 인쇄일 2022년 9월 13일 초판 1쇄 발행일 2022년 9월 20일 | 발행인 김명국 | 책임 편집 안효정 | 제작 최은선 | 발행처 주식회사 인타임 출판 등록 107-88-06434(2013년 11월 11일) 주소 서울시 구로구 디지털로 1길 38-21 이앤씨벤처드림타워 3차 405호 전화 070-7732-6293 팩스 02-855-4572 이메일 in-time@nate.com | ISBN 979-11-03-32432-2(04810) 979-11-03-31616-7 (세트) | 이 책은 주식회사 인타임이 저작권자와의 계약에 따라 발행한 것이므로 내용의 전부 또는 일부를 사용하려면 반드시 양측의 동의를 받으셔야 합니다. 잘못된 책은 구매처에서 바꿔 드립니다.

죽지 않는 엑스트라

요마대전
제로

20
완결

토이카 퓨전 판타지 장편소설

intime

요마대전 제로

차례

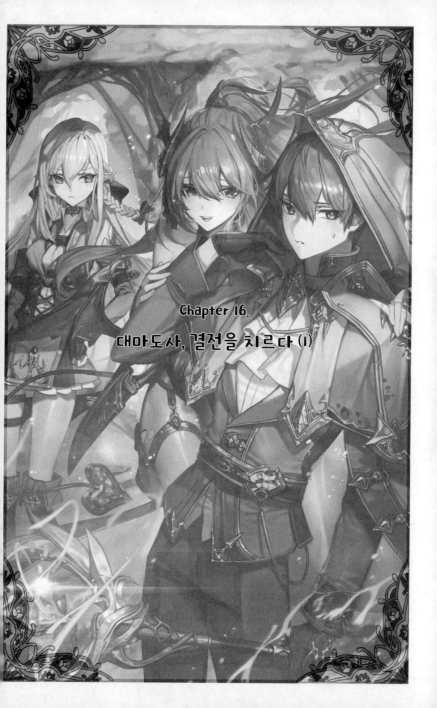

Chapter 16.

대마도사, 결전을 치르다 (1)

그곳에 신들의 모습이 있었다.

신내림의 터에 있던 기운을 모조리 에반의 고유 무장이 잡아먹고, 아리아의 능력을 덧대어 간신히 이루어진 의식인 만큼 신의 숫자도 많지 않았으며 그 기운도 마냥 넉넉하지 않았지만, 그래도 신은 신이었다.

그들은 그 누구도 형체를 정확히 알아보지 못할 만큼 스스로 발광하고 있었으며, 마력과도 마기와도 다른 성스러운 기운을 몸에 두르고 있었다.

[마족의 대군! 그뿐만 아니라 마신의 기운이 느껴지고 있어.]

[역시 중간계를 먹어 치우려 직접 모습을 드러낸 것인가! 하지만…… 큭!]

[우선은 부정한 기운을 뿌려 내고 있는 서 버러지들을 치워

야 한다. 남은 이야기는 다음이다!]

　[이 대지의 인간들에게 다음이 있다면 말이다!]

　그러나 그들은 신성력을 뿌려 내 설원의 평야를 가득 채우고 있는 마족들을 시원스레 밀어내면서도 낭패감에 이를 악물고 있었다.

　그도 그럴 것이 그들이 꿈꾼 지상 강림은 이런 것이 아니었으니까.

　자신들을 섬길 중간계의 인간과 아종족을 찾고, 그들에게 약을 팔아…… 그러니까, 마신과 마족의 위험성을 설명해 주는 것으로 신뢰를 사고, 신도를 늘려 자신의 힘을 늘리고…….

　중간계에서 자신의 세력을 안정적으로 확보한 후에 마신을 몰아내는 것으로 피날레를 장식할 예정이었는데!

　[이래서야 우리 힘을 낭비할 뿐이지 않은가!]

　[하지만 여기서 몸을 뺄 수는 없어. 저 많은 마족들을 보란 말이야. 막지 않으면 중간계는 물론이고 우리 신계까지 위험해!]

　[강림하기 전에 이걸 알았더라면 차라리 강림하지 않고 신계의 방비를 철저히 했을 텐데…… 큭!]

　그러나 이것을 그들을 강림시킨 장본인인 페이나나 아리아에게 따질 수는 없을 것이다.

　신들이 시키면 속내를 품고 있는 것은 어디까지나 비밀로

해 두어야 할 일.

페이나는 그저 최대한 빨리 신들을 강림시켰을 뿐이고, 아리아는 중간계를 지키기 위해 신들을 가장 위험한 전장으로 이동시켰을 뿐이다.

만약 여기서 그걸 대놓고 따지게 된다면, 그땐 신들이 쓰고 있는 위선이라는 가면이 벗겨지게 된다.

많은 존재 앞에서 신성의 내면을 노출하게 되는 것은 물론, 그것이 문제가 되어 영락하게 될 가능성마저 있었다.

[이곳엔 인간들이 많아. 숲 요정도, 땅 요정도 보이는군.]

[만약 저들 앞에서 우리의 불완전성을 드러내게 되면……그땐 끝장이야.]

[정말 완벽한 무대군. 만약 우리를 이 상황에 처하도록 의도한 자가 있다면, 그자가 마신보다도 더 위험한 존재임에 분명해……!]

이것이 바로 에반이 신들을 자신의 뜻대로 움직일 수 있다고 자신했던 이유이기도 했다.

어지간한 마족보다도 음험한 존재이지만, '다수의 존재' 앞에서는 결국 이상적인 신의 모습을 연기해야만 하는 점이 신족의 가장 큰 족쇄인 것이다!

[여기서 놈들을 틀어막는 수밖에 없어!]

결국 신들이 내릴 수 있는 결론은 하나뿐.

여기서 마족 세력을 물리치는 것이다.

보아하니 마신은 아직 완전히 강림하지 않은 듯했다.

그렇다면 마족 세력을 완벽히 몰아내고 마신의 강림을 저지한 후, 마계의 문을 닫아 버리고 나면 그땐 자신들이 중간계를 차지할 수 있게 되는 것이다.

[차라리 잘되었다. 지금 이곳에 있는 중간계의 구성원들은 아마 이 중간계에서도 가장 강한 이들. 이들 앞에서 우리의 능력을 보여 주면 그들에게도 신앙이 싹트리라.]

[좋다, 잘 봐 두어라 인간들이여. 이것이 뇌신의 힘이다!]

안 그래도 북쪽에서 발생한 마기의 기둥 탓에 시커멓게 물든 하늘에 더욱 짙은 먹구름이 끼었다.

직후 마족들이 대량으로 모여 있던 곳에 신성력을 머금은 번개가 떨어져 내려 놈들을 일소했다.

순식간에 만에 가까운 숫자의 마족이 문자 그대로 소멸하는 모습이란 실로 장관이었다.

[크아아아아아악!]

[보아라, 필멸자들이여! 뇌신이 너희를 구원하기 위해 직접 강림했느니라!]

뇌신이 의기양양해져 소리 질렀다.

다른 신들은 그 모습을 보며 속으로 그를 비웃었다.

'마신을 직접 공격한 것도 아니고 마족의 숫자나 줄이는 데에 힘을 쓰다니.'

'저놈은 곧 강제 송환되겠군.'

놀랍게도 신들은 이 지경에 이르러서까지 경쟁을 하고 있었다!

뇌신처럼 미련한 이들이 먼저 힘을 쏟아 내 마족들을 토벌하고 사라지면 남는 것은 자신들뿐.

마신을 토벌할 때까지 버틸 수만 있다면 그때까지 남은 신들끼리 신도를 갈라 가질 수 있을 터!

머리를 굴리고 있는 신들은 단순한 성격의 신들을 이용해 힘을 쏟아 내게 만드는 한편 자신들은 힘을 온존하며 어떻게든 버티고자 했다.

그러나 상황이 그들의 마음대로 흘러가 주지 않았다.

[역시 신들이 나타났군.]

지금 이 마족군을 이끄는 자, 사마가 입가에 사악한 미소를 지으며 중얼거렸다.

[중간계에서, 그리고 마계에서. 다른 십마들이 죽는 것을 보고 그들이 일찍이 개입하고 있었음을 깨달았다. 결정적으로 뒤에서 드래곤들을 조종해 남부 기지를 파괴하기까지…….]

물론 그것들은 모조리 에반이 저지른 짓이었으나 그는 그것을 아직 알지 못했다.

[그렇게 대담하게 도발해 놓고도 이 요마왕께서 가만히 있으리라고 생각했다면 오산이다, 어리석은 신족들이여!]

사마, 요마왕이 치렁치렁한 흑발을 흩날리며 목소리를 높여 웃었다.

[마계와 동화한 이 얼음의 대지에서 마족의 목을 벤 신족들은 모두 그들의 죽음을 등에 짊어지게 되리니!]

요마왕은 원래가 결계와 저주의 명수였다.
현대에서 에반을 상대로 여러 제약을 걸었던 저주도 대단했지만, 본디 그가 중간계 침공을 앞두고 가장 경계하고 있던 대상은 다름 아닌 신족.
당연히 그가 중간계로 건너오며 준비한 저주 또한 대다수가 신족을 상대로 한 것이었다.

[네놈들의 신성, 하늘에서 비롯된 모든 힘이 땅에 떨어지리라!]

[크악!?]

마족들을 한창 공격하고 있던 신들이 일시에 비명을 토했다. 그들을 휘감는 저주의 기운을 느낀 탓이다.

[신성을 무시하고 저주를……!?]

[제아무리 이것이 본신이 아니라고는 하나 이 무슨!]

신들은 본신으로 지상에 강림한 것이 아니다.

그들 힘의 일부만을 떼어 내 지상에 내려왔기에 이곳에서 죽어도 죽지 않는 반면, 몸에 두르고 있는 신성 또한 약화될 수밖에 없었다.

그렇다고는 하나 신의 저항력을 뚫고 저주를 성공시켰다는 것은 요마왕이 경악스러운 수준의 저주술사임을 증명하는 것이었다.

[쿡쿡…… 이 저주는 우리 마족을 많이 죽일수록 그 효력이 강화된다. 어리석구나, 날개 달린 벌레들아. 만약 마신 폐하의 강림을 막겠다는 일념으로 덤벼들었더라면 만에 하나 성공했을지도 모르는 것을, 필멸자들의 환심을 사고자 빤한 연극을 한 탓에 그 꼴이 되다니!]

[네놈, 마족!?]

[나는 마신의 뜻을 대리해 이 절망의 군단을 이끄는 자, 마계의 새로운 주인 요마왕이다! 지금부터 이 땅에 마신께서 직접 강림하실 터, 살아 있는 자 모두 고개를 조아리고 그분을 맞이하라!]

사자의 뼈로 만든 옥좌 위에 앉아 의기양양하게 전장을 내려다보며 요마왕이 선언했다.

그때 함께 마계에서 넘어온 십마, 오마 루이가나가 다급히 그에게 달려오며 외쳤다.

[일마가 마신 폐하를 담을 그릇을 확보하지 못하고 전사했다!]

[뭐라!? 십마에 이어 마화족 계집마저 놓쳤다고! ……아니, 일마가 죽었다고?]

단순 무력으로는 마계에서 제일가는 마족, 일마.

자신을 뛰어넘는 계약 마법의 대가인 이마 베아토도, 뼈를 매개로 삼아 대다수의 생물을 대상으로 절대 우위를 점하는 삼마 데게로도 감히 범접하지 못하는 그 파멸의 맹수가 죽었다고……?

[그렇다면 혼원계의 괴물의 몸에 폐하를 그냥 강림시켜야

한단 말인가……?]

마신은 십마 카틀레야를 놓친 순간부터 혼원계의 강자들을 이용해 중간계에 강림할 계획을 세웠다.

그러나 마기를 품지 않은 혼원계의 그릇은 마신을 담아내기에 매우 불안정할 터였고, 그래서 차선책으로 마화족의 여왕을 이용해 혼원계의 그릇을 지배, 마기를 품게 된 그릇에 마신을 강림시킨다는 계획을 세운 것이다.

일의 중요성이 큰 만큼 일마가 직접 움직였는데, 그 일마가 마화족의 여왕을 확보하는 데에 실패하고 죽어 버렸다니!

[사, 사마! 마신 폐하의 강림에 차질이 생겼다!]
[또 무슨 일이냐, 육마!]

신경질을 내며 강림 의식이 진행 중인 곳을 바라본 요마왕의 두 눈이, 순간 점이 되었다.

아주 거대한, 다른 신들의 힘과는 비교도 되지 않는 아주 거대한 압력이, 마신을 소환하기 위해 준비한 제단에 퍼부어지고 있었기 때문이다.

[이런 일이 일어날 것 같은 조짐을 느꼈지, 하지만 자네가 내 말을 듣지 않았어! 난 반대했는데!]
[저, 저건…… 저 힘은 대체 뭐지? 육마, 똑바로 보고해라!

지금 대적하는 자가 누구냐!]

　[제단이 파괴된다! 아이구 맙소사! 우린 이제 다 죽었어! 안 돼, 안 돼! 저리 떨어져! 저리 가, 저리 가라고! 으아아아아아!]

　원거리에서 육마가 보내오는 처절한 신음 소리와 함께 요마왕의 두 눈에 비치는 것은 믿을 수도 없고 믿어서도 안 되는 끔찍한 광경이었다.

　마계에서 가장 단단한 광물에 혼원계의 괴물들이 가져온 보석을 더해 완성한 마신의 소환 제단이 끔찍한 압력에 짓눌려 산산조각으로 파괴되고 있었으니까.

　그 제단에서부터 시작되어 하늘을 뚫을 기세로 치솟던 마기의 기둥이 순간 흔들렸다.

　직후 그것에 여러 잡다한 기운이 섞이며 마구 폭주하기 시작했다!

　[안 돼……!]

　요마왕은 그 광경을 보며 신음했다.

　대체 누가 저런 말도 안 되는 짓을 할 수 있는지 모르겠지만, 저건 오늘을 망칠 수 있는 최악의 선택이었다!

　[육마, 육마! 내 말 들리나? 지금 당장 소환 의식을 멈춰!]

　[헉, 허억…… 의식을 포기하겠다는 건가!?]

다행히도 육마는 아직 죽지 않은 것처럼 보였다.

요마왕은 폭주하는 에너지의 기둥을 올려다보며 놈에게 악을 쓰듯 외쳤다.

[저런 식으로는 마신 폐하의 의식을 온전히 불러오는 것도 불가능해진단 말이다!]

[그, 그렇다면 소환 의식을 멈추…… 아, 안 되잖아? 의식을 멈출 수가 없어. 아, 안 돼!]

파직.

그 섬뜩한 소리가 요마왕의 고막을 깨트릴 기세로 울려 퍼진 직후, 육마와의 텔레파시가 끊어졌다.

[혼원계의 기운이 마구 뒤섞이고 있잖아! 폭주야, 저래선 의식도 없이 폭주하고 말 거야!]

그 광경을 요마왕과 함께 보고 있던 오마가 경악하며 외쳤다.

[설마 신들은 단지 우리의 주의를 끌기 위한 함정에 불과했단 말이야? 대체 어떤 존재가 있어 신을 이용해 우리를 속였다는 거지……!]

[어리석은 자가, 마신 폐하께 복종했으면 그분의 은총을 받고 살아남을 수도 있었을 텐데 모두가 망하는 길을 고르다니!]

[요마왕, 어떻게 하지?]

오마의 말에 요마왕은 최선을 다해 생각한 끝에 답했다.

[어쩔 수 없다, 루이가나. 일단 의식을 속행한다. 다행히도
마신 폐하를 진정시킬 수단으로 짚이는 것이 있다.]
[무엇이지?]
[비장의 수단을 벌써부터 드러낼 수는 없지. 이렇게 된 이
상 잡졸들은 포기하고 마신 폐하를 이 땅에 안전하게 모시는
데에만 집중한다. 가지.]

오마 루이가나의 질문에 요마왕은 그녀를 지그시 바라보며
대구했다.
그 눈에서 어딘가 모르게 불안감을 느끼는 그녀였으나, 자
신에게 달리 방도가 없는 이상 지금은 요마왕을 믿는 수밖에
없었다.

[그래, 가자.]
[이 땅에 마신 폐하의 질서를 바로 세우기 위해……!]

의식은 폭주하고 있지만, 적은 그것으로 충분하다 여겼는
지 그곳을 떠난 듯했다.
그 방만함이 결국 저 정체 모를 신족의 조력자를 패배로 이

끌 것이다.

이 전쟁에서 승리하는 것은 마족이다.

아니, 자신이다.

지하에서 시작되어 하늘 끝까지 이어진 검붉은 에너지의 기둥, 그 안에서 서서히 눈을 뜨려고 하는 끔찍한 무엇인가를 올려다보며 그는 몇 번이고 그렇게 되뇌었다.

언제든 마신과 싸울 수 있다는 생각에 대비를 해 두고는 있었지만, 그게 이런 식일 것이라고는 생각하지 않았다.

에반은 난장판이 된 전장을 둘러보며 멍하니 그런 생각을 했다.

'지금 이 상황, 요마대전 제로 때랑은 뭔가 엄청 다르지 않나……?'

요마대전 제로의 최종전은 굉장히 비장한 분위기가 있었다.

자신의 죽음을 각오하고 마신에게 맞서기 위해 나서는 고대의 대마도사와, 그런 고대의 대마도사를 차마 말리지 못하고 여차할 땐 자신이 대신 죽기라도 할 결의를 품고 그와 동행하는 히이엘프 미루엠의 가련한 모습에는 플레이어들의 가슴마저 찢어지는 뭔가가 분명히 있었다.

고대의 대마도사가 죽을 고생을 해 가며 간신히 모은 종족 연합군은 비록 각자 마음에 품은 생각은 달라도, 종족의 명운을 걸고 벌이는 싸움에서 한 치도 물러서지 않고 목숨을 걸고 싸웠다.

 "저쪽에 다른 균열이 보입니다! 마족들이 이계의 괴물들과 융합하려는 것 같습니다!"
 "엘프 사수 일동 정령 시 일발 장전, 균열을 향해 조준…… 발사! 파괴 완료!"
 "프핫, 그런 허접한 마기로는 이 드래곤 비늘 갑옷에 흠집 하나 낼 수 없다!"
 "우리의 신께서 우리를 지켜보고 계신다! 그분께서 함께하시는 한 우리가 무너지는 일은 없다!"
 [서큐버스 2분대, 단체 환각 갑니다, 에잇!]
 [우리는 출장 서비스 업소가 아니란 말이야! 마계에서부터 쌓인 원한을 받아라!]
 "……."

 시리즈 사상 최초로 직접 등장해 전투를 벌이기까지 했던 신족들에 대해서도 논하지 않을 수 없다.
 인간은 감히 이해할 수 없는 모습으로, 이해할 수 없는 힘을 다루는 그 고고한 존재들은 마족과 괴물들을 쳐부수면서도 결코 적도 아군도 아닌 존재로서 고대의 대마도사를 긴장시켰다.

언제 등을 찌를지 모르는 강대한 아군을 컨트롤하는, 그 외줄을 타는 듯한 긴장감이 최종전까지도 생생하게 남아 있었다.

[마신, 마신이 곧 올 거야!]

[이건 미친 짓이야, 나는 여기서 빠져나가야겠어!]

[이계의 기운이 걷잡을 수 없이 빠르게 중간계에 흘러 들어오고 있어. 대체 무슨 일이 생기려는 거지?]

[물러나고 싶어, 물러나고 싶지만…… 이미 강림하느라 신력을 많이 소모한 탓에 지금 물러나면 어마어마한 손해가 난다. 젠장! 빌어먹을!]

"……."

적의 위세는 또 어떠했는가.

세상을 파멸시킬 힘을 갖춘 마신을 소환하고자 모든 마족의 힘을 집결시킨 군대를 이끄는 요마왕의 위세는 본편에서 무력적으로 강하게만 묘사되던 요마왕과는 또 사뭇 다른 모습으로 플레이어들을 전율시켰으며.

이 땅의 오랜 역사와 함께 숨 쉬어 온 신대의 괴물들도 세계수를 노리고 몸을 일으켜 잔류군을 섬세하게 운용하지 않으면 막아 낼 수 없게끔 압박해 왔다.

균열로부터 끊임없이 몰려들며 최종전에서까지 온갖 변수를 낳았던 이계의 괴물들.

중간계를 혼원계의 일부로 만들기 위해 마족과 융합하는 것도 거리끼지 않았던 진정한 괴물들은, 아무것도 보이지 않는 심연 속에서 불빛이 번뜩이듯 섬뜩한 공포감을 조성했다.

[아, 안 돼! 의식을 정지할 수가 없어! 으아아아아아!]
[마신 폐하께서 분노하셨어…… 이 세상을 멸하실 거야.]
[저, 저 괴물 마도사는 대체 뭐란 말이냐! 도망쳐, 모두 놈에게서 도망쳐!]
[인간 주제에 너무 강하잖아!]
[이계의 괴물들아, 내가 아니라 저기 엘프를 공격하란……
우그아아아아!]
"……이건 뭔 도떼기시장도 아니고."

아군과 적군의 모습을 쓱 훑어보다 내놓은 에반의 감상평에, 방금 에반이 막 죽인 육마의 시신을 수습하며 메이벨이 차게 식은 말투로 말했다.

"지금 이 상황, 대부분은 도련님이 만들어 놓으신 거거든요?"
"그래서 마신은 언제냐? 언제 나오는 거냐?"

한편 강적과의 전투를 앞두고 한껏 달아오른 레오는 나잇값도 못 하고 잔뜩 들떠 있었다.
신들과 연합군을 함께 마족의 본진에 떨궈 놓는다는 희대의 업적을 달성한 아리아는 반대로 차분한 안색으로 그런 남편을 진정시켰다.

"이이는 참, 진득이 기다려 봐요. 그 전에 저기 보이는 요마왕이나 같이 정리하죠."
"허어, 진짜 요마왕이잖아!"
"아, 저건 분신이네요."

다른 십마들은 모두 본신으로 전쟁에 참여한 반면, 교활한 요마왕만은 제 안위를 챙기려고 분신의 몸으로 지상에 강림했다.

유일하게 십마에 속하지 않았으면서 십마 이상의 힘을 갖고 있는 마계 대공 케이하와 모종의 협약을 맺어, 그가 마계에 남아 자신의 본신을 지켜 주는 대가로 차후 케이하의 계획에 협력할 것을 약속한 덕에 가능한 일이었다.

'물론 그 후 요마왕의 배신으로 케이하는 셰어든 던전에 갇히는 신세가 되지만.'

그러고 보면 결국 마계에서는 케이하와 만나지 못했단 말이지.

에반은 그 사실을 뒤늦게 떠올리며 고개를 갸웃했으나, 생각해 보면 당연한 일이었다.

마계에서 케이하를 만났더라면 놈을 죽였을 텐데, 그러면 미래에 던전에서 놈과 만날 일이 없었을 테니까.

"흠."

에반은 영 폭주를 멈출 기미가 없는 마기의 기둥을 돌아보며 눈을 가늘게 떴다.

그것은 지금도 주기적으로 나타나고 있는 혼원계의 거대한 균열을 차례로 흡수하며 위로 옆으로 팽창하고 있었는데, 게임 속 소환 의식보다 백배는 더 불안해 보였다.

아무래도 요마왕은 그것을 어떻게든 정상으로 되돌리기 위해 오고 있는 것 같은데…….

'의식을 치르던 놈들을 죽이면 기세가 줄어들 줄 알았는데 정반대로 가고 있어. 실수다. 이렇게 되면 차라리 요마왕을 불러들여 이걸 안정화시켜야 하나?'

하지만 곧 그의 고민은 강제적으로 중단되었다.

돌연 마기의 기둥 한중간에서 게이트가 열리더니, 그 안에서…… 허름한 로브를 푹 눌러쓴 존재가 나타난 것이다.

"……뭐?"

그것을 본 순간 에반은 숨이 멎는 것만 같았다.

어째서 저게 저기에 갑자기 나타난 것인지 알 수가 없다.

아니, 잠깐.

지금 이건 현실인가?

혹시 난 에반으로 환생한 게 아니라, 풀 다이브 VR로 요마 대전 시리즈를 즐기고 있던 것이 아닐까?

그게 아니라면, 갑자기 지금 저기에…….

"고대의 대마도사가…….."

나타날 리가, 없는데.

"제로와 닮았어……?"

"저게? 아니야, 그럴 리가."

미로엘이 무심코 흘린 말에 에반은 있는 힘껏 부정했다.

확실히 얼굴이 자신과 닮은 것 같기도 하지만, 고대의 대마도사에게 있어 중요한 것은 얼굴이 아니었다.

짧은 기간이었지만 워낙 재밌게 했던 게임이었고, 워낙 인상이 깊게 남아 있었기에 잘 알 수 있다.

저것은 에반과는 일절 관계가 없는 존재, 고대의 대마도사다.

그래야만 했다.

"네? 그렇지만……."

"딱 봐도 다르잖아."

"아뇨, 제로. 비슷한걸요?"

"어머나, 확실히. 도련님이랑 비슷해요. 하지만 보는 것만
으로 굉장히 거부감이 드네요. ……당장이라도 찌르고 싶을
만큼."

"그럴 리가…… 그럴 리가 없잖아."

연원을 알 수 없으며.

그 몸에 강대한 힘을 지니고 있으며.

몹시 과묵한, 하지만 자신의 능력이 닿는 한 무슨 일이든 하
고자 하는.

세상의 안정을 위해 스스로를 희생한 진정한 영웅.

만약 그가 존재하지 않는다면 에반이 그것을 대신할 의향
은 얼마든지 있었고, 실제로도 그렇게 되었다고 생각했었다.

여태까지 줄곧 그렇게 생각했었는데, 사실은.

"사실은…… 고대의 대마도사가 따로 존재하고 있었다
고……?"

"……."

에반이 무심코 그것을 입 밖에 낸 순간.

에반과 그의 시선이 맞닿았다.

무저갱처럼 깊고 허무한 그 눈동자와 마주한 순간 에반은 본능적으로 깨닫고 말았다.

"당, 신은……."
[모든 계획을 어그러트린.]

그가 입을 열어 말했다.
그것은 남성의 것도, 여성의 것도 아닌 기묘한 음성이었다.

[가짜 놈이.]

누가.
에반이?
고대의 대마도사의?

[하지만 결국 너는 막지 못할 거다.]
[오히려 그는 최악의 형태로 강림하게 될 것이다.]
[모든 세상을 멸하여, 오직 진정한 나 하나만이 남게 되리.]

에반은 본능적으로 손을 뻗어 놈을 구겨 버리려 했다.
그러나 제아무리 에반이 바다를 가르고 대지를 부수는 힘이 있다고 해도, 온갖 세상의 기운이 섞여 솟구친 고밀도 에너지의 기둥 한중간에 있는 놈을 붙늘 수는 없었다.

"이렇게 되면 고유 무장을······."

"안 돼요, 제로. 그것을 꺼내어 막을 수 있다면 다행이지만, 만약 막지 못한다면 고유 무장이 없는 상태에서 마신을 상대해야 해요."

"······."

미로엘은 에반에 비해 부담이 적은 자신의 고유 무장을 활성화해 정령 시를 쏘아 냈지만, 물론 그녀의 공격도 그 기둥을 꿰뚫지 못했다.

요마왕과 오마가 도착한 것은 그때였다.

[무슨, 네놈은 네이브······?]

[나를 그렇게 부르지 마라. 그것은 어디까지나 소멸을 막기 위해 임시로 지은 이름일 뿐.]

후드의 남자는 코웃음을 치며 말했다.

말을 할 때마다 입술이 열리며 그 안으로 드러나는 목구멍이 놈의 두 눈처럼 시커멓게 깊었다.

한순간 그의 가슴팍에 총에 맞은 듯한 구멍이 뚫렸다.

물론 그 구멍도 시커멨다.

[마신과의 약속, 지금 지키겠다.]

"마신과의 약속······?"

에반이 무심코 중얼거리는 말에 요마왕이 에반을 돌아보았다.

[네놈인가, 부하들이 제로라 부르며 두려워하던 남자는…… 커헉!]
[끄아아아악!]

지금은 요마왕과 한가로이 대화를 나누고 있을 기분이 아니었던 에반은 손을 저어 놈을 부쉈다.

덩달아 그 옆에 있던 여자 마족까지 같이 으깨 주었다.

마신과의 결전을 치러야 하는 지금, 고대의 대마도사까지 뜻하지 않게 나타난 이 상황에 어차피 곧 퇴장할 예정이었던 요마왕 따위에게 신경을 써 주고 있을 여유가 없었다.

"넌 대체 뭐지?"
[깔끔했던 시나리오를 망친 것은 네놈이니, 대가도 네놈이 져야 할 것이다.]

무너져 가는 몸과 마찬가지로 일그러진 목소리.

돌연 나타나 밑도 끝도 없이 자신을 매도하는 저자의 존재에 대해 에반이 대체 어떻게 반응해야 한단 말인가.

"시나리오라니, 너."

[그 전에 마땅히 내 것이어야 할 것을 가져가겠다.]

"제로……."

미로엘이 두려운 목소리를 내며 에반의 한쪽 팔을 잡았다.

이미 몸에 수십 개의 검은 구멍이 뚫려 더는 인간이라고 부를 수 없게 된 고대의 대마도사가, 기둥의 한가운데에서 그들에게 손을 뻗어…….

"흐랴아아아아압!"

"꺄아아악!"

무언가를 하려던 그 순간.

한 번 더 게이트가 열리고, 그 안에서 에반이 익히 알고 있는 두 개의 얼굴이 튀어나왔다.

비록 성장도에서 깜짝 놀랄 만큼 차이가 있었지만, 그래도 분명 그가 알고 있는 아이들이었다.

"이 망할 꼬맹이들 같으니! 갑작스레 뛰어드는 건 위험하다고 내가 그렇게……!"

아니, 저 작은 요정처럼 보이는 녀석까지 포함하면 세 개의 얼굴이라고 해야겠다.

"리즈!?"

"오빠 흉내쟁이, 죽어어어어어!"

갑작스레 튀어나온 엘리자베스는 이것 또한 갑작스럽게 고대의 대마도사를 힘껏 후려쳤다.

그것으로 놈은 완벽하게 형태가 무너져 검게 끈적이는 타르와 비슷한 모양새가 되더니, 자연스럽게 기둥 안으로 흡수되었다.

문제가 있다면 그 타르 중 일부가 공격 순간 엘리자베스의 무기에 옮겨 붙어, 순식간에 엘리자베스의 전신까지 뒤덮었다는 것이다.

"앗!?"

그 순간 엘리자베스의 행동은 실로 빨랐다.

자신에게 남은 힘으로 에이르와 로즈를 기둥 바깥으로 쳐낸 것이다.

그리고 자신은 기둥 안으로 빨려 들어가, 고대의 대마도사가 그랬던 것처럼 흔적도 남지 않고 사라졌다.

"뭐……?"

영문을 알 수 없는 일의 연속에 에반은 성상석인 사고가 불가능해지고 말았다.

하지만 분명한 것은 정체를 알 수 없는 고대의 대마도사와 달리 방금 기둥 안으로 흡수되어 사라진 이는 자신의 소중한 여동생인 엘리자베스임이 확실하다는 것이다.

"리즈!"
"그만둬!"

그가 기둥에 힘을 작용하려던 것을 멈춘 이는 다른 누구도 아니고 마기의 기둥에서 해방되어 튀어나온 로즈였다.

"지금 손을 대 봤자 꼬맹이에게 해가 갈 뿐이다!"
"로즈 넌 대체 뭘 하느라!"
"저 꼬맹이가 멋대로 뛰어 들어간 것을, 나보고 어쩌라는 게 냐! 더구나 빠져나온 곳에 하필, 망할! 물러서라, 마기가 폭주 한다!"

로즈가 말을 하다 말고 무수한 가시나무 줄기를 뻗어 내 일 행 전원을 뒤로 물렸다.

직후 마기의 기둥이 크게 확장되며 사방으로 무시무시한 기운을 뿌려 냈다.

고대의 대마도사에 이어 엘리자베스까지 흡수한 마기의 기 둥이, 비로소 필요로 하던 모든 것을 충족해…….

이 땅에 마신을 불러오려고 하고 있었던 것이다.

"리즈를 구해야 돼!"
"나도 방법을 생각 중이다! 하지만 적어도 저걸 부수는 건 안 돼!"

에반이 윽박지르듯 내지르는 말에 로즈가 마주 고함을 지르던 그때, 뒤를 돌아본 레오가 혀를 차며 말했다.

"오, 이런. 신들이 오고 있어."
"우리가 잠시 막고 있죠, 레오."
"레오 할아버지, 아리아 님."
"제로, 당신이라면 할 수 있어요."

두 영웅이 그 자리를 떠났다.
의지할 수 있는 어른들을 맥없이 떠나보낸 에반이 황망한 심정으로 하늘 높이 솟구친 마기의 기둥을 멍하니 보고 있던 그때.
마기의 기둥으로부터 흘러나온 아주 작은 무엇인가의 파편이, 그의 손과 맞닿았다.
파편의 기억이 재생되었다.

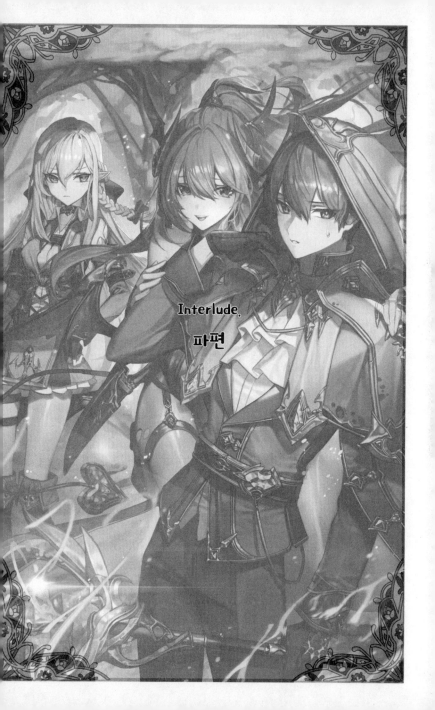

Interlude.

파편

[나는 탄생 이래 가장 낮은 위치에 있는 자.]

[가장 깊고 가장 넓으나, 그렇기에 아직 하나 되지 못한 자.]

요마대전 시리즈의 외전에 해당하는 요마대전 제로라는 게임에, 대마도사라고 불리는 존재가 있었다.

그는 어디에서 왔는지 알 수 없는 미지의 존재였으며.

그 몸에 지닌 힘은 끝을 알 수 없을 만큼 깊어 감히 대적하지 못할 적이 없었다.

자신에 대해 아무것도 모르던 그는 고귀한 숲 요정 미로엘의 인도를 받아 신대의 환경을 헤쳐 나가며 사람을 구하거나, 마족들과 대립하거나, 요정의 사랑을 얻기도 했다.

[완벽한 합일을 위해 나를 떼어 내 너와 너의 형제들을 만

들었으니.]

　[이것은 시작을 위한 계약이며, 끝에 이루어질 약속이다.]

　그는 언제나 과묵했고, 스스로에 대해서는 일절 얘기를 하지 않았다.

　처음에는 스스로에 대해 아는 것이 아무것도 없기에 그러했다.

　하지만 어느 순간부터는, 스스로에 대한 의심이 솟구치던 때부터는, 스스로가 무서워 더욱 그러지 못했다.

　누구도 연원을 알지 못하는 마도를 지배하며, 누구보다 빠르게 성장하는 존재.

　그런 존재가, 아무것도 없던 곳에서 뚝 떨어질 수는, 사실 없는 것이다.

　[모든 준비가 되었을 때 나의 이름을 불러라.]

　[그때에 이르러 너희 중 가장 우수한 개체가 진정한 나로 거듭날 수 있을 터.]

　스스로에 대한 기억이 조금씩 되살아나면서 되찾은 것은 비단 강대한 마도뿐만이 아니었다.

　불길한 기억도 함께 되살아나고 있었다.

　자신이 적대하고 있는 것들이, 사실은 자신이 적대해선 안 되는 것들이라는 생각이 들기 시작했다.

　언제부터였는가.

죽지 않는 엑스트라

평화를 사랑하며 이 땅의 재생을 꿈꾸는 숲 요정의 노랫소리가 가증스럽게 느껴지기 시작한 것은.

고결하고 성스러운 숲 요정의 공주를 자신의 욕망이 이끄는 대로 더럽히고, 짓밟고 싶은 욕망에 휩싸이기 시작한 것은.

[끊임없이 투쟁하고 욕망하라.]

[그 끝에 내가 있을 것이며.]

[모든 세상이 오롯이 하나가 될 것이다.]

모든 기억을 되찾은 것은 마지막 순간.

마족들이 마신을 이 지상에 불러내려 시도한 순간이었다.

그는 홀연히 앞으로 나서, 자신의 전력을 다해, 봉인의 마법을 실시했다.

중간계로 범람해 오는 온갖 이계의 균열을.

완전하지 못한 모습으로도 능히 세상을 멸할 수 있을 마신을.

모두 자신의 안에 봉했다.

그로써 완전한 마신으로 거듭났다.

—그렇게 될 터였다.

❈ ❈ ❈

그가 이 세상에서 처음으로 눈을 뜬 때.

아무것도 몰라야 할 터인 그에게 알 수 없어야 할 터인 지식이 흘러들어 왔다.

자신의 탄생부터 결말에 이르기까지의 모든 기억이.

혼란스러워하면서도 지상에 두 발을 딛고 일어섰을 땐, 이미 그곳에 그가 서 있을 자리는 없었다.

숲 요정의 공주는 자신이 아닌 다른 남자를 선택했고, 자신을 버려 둔 채 그곳을 떠나갔다.

대신 그에게 나타난 이는 마족이었다.

[짙은 마기가 느껴지는군. 혹 아버지, 마신 폐하의 또 다른 조각인가.]

"너도 그렇지 않나."

기억을 되살리지 못했더라면 그는 마기를 다루지 못했을 것이다.

하지만 마신의 조각으로서의 자신을 너무나 일찍이 각성한 탓에, 그는 자신에게 내재된 마기를 감출 수가 없게 되었다.

그리고 그것이 마족을 그의 앞에 불러낸 계기가 되었다.

[나는 다르다. 나는 그분의 자식일 뿐 그분을 내게 모실 수는 없다.]

"나는……."

[그분의 목소리를 기억하나?]

"……"

침묵 끝에 고개를 끄덕이는 그에게, 마족, 일마는 마주 고개를 끄덕이며 대답했다.

[네가 눈을 뜬 것은 모두 그분의 뜻이니, 계속 그것을 따라가면 될 뿐.]

옅은 반감이 든 것은 순간의 일이었다.

하지만 그는 스스로 마신에게서 벗어날 수 없음을 알고 있었다.

혼재하는 기억이 그를 혼란스럽게 만들었으나, 자신의 앞에 놓인 운명만은 또렷이 인식할 수 있었다.

[너는 스스로를 어떻게 지칭하는가?]

"어떻게……."

그때에 뇌리를 스치고 지나가는 이름이 있었다.

그러나 그것이 주는 극도의 반감에, 그는 무심코 그것을 뒤집어 대꾸했다.

"네이브Nave."

[좋다, 네이브. 네가 마땅히 있어야 할 위지로 돌아살 때까

지, 그것이 너의 이름이 될 것이다.]

마땅히 있어야 할 위치.
조용히 그 말을 읊조리는 남자, 네이브에게 일마는 입술을
비틀어 웃으며 덧붙였다.

[그것이 마신 폐하와의 약속이지 않은가.]
"약속."
[마계로 오라. 그분을 중간계에 모시기 위한 의식을 준비해
야 한다.]

온전한 기억을 얻었기에 비로소, 남자는 자신의 기억과는
다른 걸음을 걷기 시작했다.
허나 자신이 사라진 자리에 대신해서 들어간 남자에 대한
의문만은 사라질 줄 모르고 점점 증폭되어 갔다.
그는 자신 이상으로 이 세상에 대해 잘 알고 있는 것처럼 보
였으며.
자신 이상으로 강한 능력을 갖고 자신이 했던 일들보다 대
단한 일들을 수행했다.
그 끝에 무슨 일이 일어날지 알고 있었기에 그는 솔직히 그
것을 일마에게 얘기했으나.

[인간이 종족 연합군을 결성해 마족을 막아? 바보 같은 소

리군.]

돌아온 것은 코웃음뿐이었다.

[설령 일시적으로 그들의 힘이 강해진 것처럼 보여도, 곧
모든 것이 마신 폐하의 발아래 부복할 것이다.]
[그러니 네이브, 우리는 그분을 무사히 모시는 데에만 집중
하면 된다.]

하지만 일은 점점 꼬여 갈 뿐이었다.
자신의 자리를 대신한 남자는 놀라운 능력으로 중간계의
힘을 늘려 나갔으며.
심지어 마계에도 간섭을 해 왔다.
반면 네이브는 일마와 함께 움직이면서도 여전히, 스스로
에 대한 확고한 관념이 없이 흔들리기만 할 뿐이었다.

'심어진 기억이 진짜라면 나는 이곳에서 무엇을 하고 있는
것인가.'
'마신을 이 땅에 불러내는 것만이 내게 주어진 임무라면, 그
것에 나 본인의 의사는 개입될 수 있는 것인가.'
'나는 어째서 이 어둡고 붉은 마계의 땅에 처박힌 것인가.'
'숲 요정의 공주, 그녀와 함께하고 있는 남자는 대체 무엇
인가.'

'내게 주어진 기억으로 아무것도 바꿀 수 없다면, 거기에 의미는 없는가.'

그 끝에 그가 만난 것은, 기억에는 없지만 이상하게 자꾸 눈에 밟히는 한 명의 소녀였다.

"죽어!"

자신을 원수처럼 노려보며 달려드는 소녀에게 어째선지 적극적으로 대응을 할 수 없다.

어쩌면 그녀가 마신을 강림시키기에 적절한 소양을 갖추고 있기 때문인지도 몰랐으나.

분명 그것 때문만은 아니었다.

그리고 그녀에게 힘껏 걷어차여 이른 곳에 떨어져 있던 목걸이를 주운 순간.

비로소 모든 것을 깨달았다.

'우린 서로 연결되어 있었구나.'

그의 자리를 차지한 남자.

아이러니하게도 그에게 기억을 넘겨준 이는 바로 그 남자였다.

그 남자를 이루고 있는 무수한 파편 중 하나가 자신에게 흘러들어 와, 엿보아선 안 될 세계의 비밀을 엿보게 했다.

그 대가로 그는 원래 있어야 할 자리에서 쫓겨났고, 아무것도 모르는 남자는 뻔뻔하게 그 자리를 꿰찼다.

그 끝에 무엇이 기다리는지는 까맣게 잊어 먹고, 자신의 흉내를 내며 세계의 주인공 행세를 하고 있었다.

'우습구나.'

그렇다면 자신이 모든 것을 고치기 위해 나서지 않으면 안된다.

남자가 요마대전 제로라고 기억하는 운명 속 타당한 결말은, 누구도 부정할 수 없는 완벽한 마신의 강림이다.

가짜를 징벌하고, 마신을 온전히 강림시켜, 마땅히 자신이 차지해야 할 자리를 되찾는다.

에반의 가짜인 네이브는 이때 그 이름을 다시 버렸다.

가짜는 자신이 아닌 에반이며 제로, 그였다.

그리고 마신은 기억에서보다 화려하게, 강대하게 강림하여 모든 세상을 먹어 치우리라.

"아……."

에반이 자신의 결손을 깨달은 것은 그 순간이었다.

잃어버린 일부를 되찾는 순간 비로소.

자신이 여태까지 그것을 잃어버리고 있었다는 사실을 깨달은 것이다.

그가 실은 고대의 대마도사였다니, 터무니없는 착각이었다.

그는 원래 이 자리에 들어왔어야 할 주인공의 자리를 강제로 빼앗은 것에 지나지 않았다.

하지만 그것 자체는 오히려 다행한 일이었다.

본래 고대의 대마도사는 선한 존재 따위가 아니고, 마신이 자신의 강림을 위해 만들어 낸 분신 중 하나일 뿐이었으니까.

그것이 에반 덕에 보다 일찍 근원을 각성하고, 그 탓에 마계로 향하게 되었다니 이 이상 아이러니한 일이 있을 수 있을까.

"큭, 그것뿐만이 아냐. 어쩌면……."

어쩌면 셰어든에서 이곳으로 넘어오는 과정에서.

어쩌면 그보다 더 이전, 자신의 전생을 각성한 순간부터.

그것을 자각한 순간 그는 자신의 파편이 여러 가지 형태로 많은 세상에 널리 흩어져 있는 것을 깨달았다.

어떤 것은 셰어든으로 역류해 흘러 들어갔으며.

어떤 것은 이계로 역류하여 그들이 중간계를 넘보는 이유를 만들어 내기도 했다.

그중 어떤 것은 현대 지구로 흘러들어 가, 요마대전이라는 유명한 게임의 기반이 되기도 했다.

"제로, 제로……?"

"괜찮아, 미로엘. 그냥 조금, 혼란스러울 뿐이야."

"제로……."

미로엘이 마신에 대한 본능적인 공포감에 벌벌 떨면서도 그의 한 팔을 붙들고 힘을 주어 버렸다.

에반은 그녀의 온기를 느끼며 제 입술을 질끈 깨물곤, 고개를 들어 거대한 마기의 기둥을 주시했다.

그 안에서 서서히 눈을 뜨는 존재가 있었다.

대마도사의 흔적은 물론, 자신의 소중한 여동생인 엘리자베스의 흔적도 느껴지지 않는 한없이 거대하고 사악한 존재.

[많은 것을 희생해야 했지만, 결국 모두 마땅히 그렇게 되어야 할 형태로 거듭났구나.]

그 안에서 들려온 것은 뜻밖에도 아름다운 미성이었다.

에반은 그것과 마주하며 눈을 가늘게 떴다.

[너는 일을 어렵게 만들었으나, 결과적으로 내가 강림할 수 있었던 것은 네가 있었기 때문이기도 하니.]

[너도 또한 내 안에 올 수 있게 하리라.]

"가당찮은 소리를."

헛소리를 늘어놓는 에너지의 기둥 속 마신에게 짜증스레 대꾸하며 힘을 끌어 올린 그 순간.

에반은 어째선지 이 순간 자신의 안에서 새로운 가능성이 발아하는 것을 느꼈다.

아마도 그것은 자신의 파편을 회수하는 과정에서 다른 존재, 즉 대마도사의 일부를 함께 회수했기 때문일 것이다.

그것이 평생 그에겐 불가능하리라 여겨졌던 것을 가능케 했다.

"……."

에반의 손 위로 작은 마법진이 떠올랐다.

그것은 게임 속 고대의 대마도사가 다루던 마법과 완전히 같았다.

"하."

이제 와서 세 번째 직업이라니 웃기지도 않는다.

에반은 쓰게 웃으며 그 손을 뻗어 마기의 기둥 속에서 모습을 드러내는 마신을 조준했다.

메이벨이 걱정스러운 기색으로 그를 붙들었다.

"도련님, 저 안에 아가씨가……."

"응. 죽이기도 힘들겠지만, 죽일 수 있다 해도 죽여선 안 돼. 적어도 지금 당장은."

한때는 요마대전 제로의 시나리오를 따르기 위해 마신을 봉인할 생각을 하던 적도 있었다.

하지만 아니었다.

그것은 필연이었다.

게임 속과는 다른 이유로.

하지만 실제 이 세상 속 역사에서 그러했듯이.

에반의 여동생을 구하기 위해서, 마신은 이곳에서 봉인되어야만 했다.

"저희가 도와 드릴게요, 신님."

"죽이지 않으면서 무력화해야 한다는 거죠."

샤레이와 아르파가 앞으로 나섰다.

처음부터 마신을 대적할 것을 한정해 자신들의 힘을 끌어올린 그녀들에게는 자신할 자격이 있었다.

"미안, 전혀 그럴 생각이 없었는데…… 너희에게 생각보다 큰 짐을 지우게 될 것 같다."

"그것이야말로 제가 원하는 바예요, 신님……!"

"신 오빠, 사양하지 말고 팍팍 해 버려요."

"좋아, 그럼."

마신이 점점 더 확고한 형태를 취하기 시작하자, 마신의 끔찍한 에너지를 견디지 못한 일대가 붕괴하며 비틀림이 일어나기 시작했다.

에반은 망설이지 않고 고유 무장을 활성화했다.

형태 없는 영혼의 무장이 그의 전신을 감싸고 그가 만들어 낸 마법진을 강화했다.

"너희……."

그는 자신이 얻은 것을 곰곰이 따졌다.

마도에 대해 알게 되었기에 비로소 시도할 수 있게 된 것들을 머릿속에서 하나하나 차분히 점검하고.

"분할 압축이라고 들어 봤어?"

결론을 낸 순간,

계산을 마쳤다.

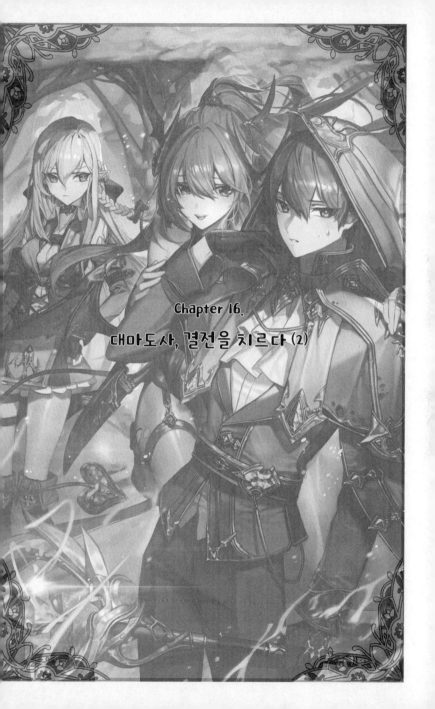

Chapter 16.
대마도사, 결전을 치르다 (2)

에반의 손아귀 위에서 마법진이 맹렬히 회전하고 있었다.

그의 고유 무장은 그가 다루는 모든 것을 강화시키는 힘.

이마 베아토가 그러했던 것처럼…… 아니, 오히려 그와는 비교도 되지 않는 효율로 자신의 마법진을 강화시키고 있었다.

"우와아아아아앙! 리즈 언니가, 리즈 언니가……!"

"진정하렴, 아가. 저 꼬맹이가 어떻게든 해 줄 테니까!"

"무슨 일이든 일단 도련님한테 내팽개치는 태도는 그만 둬욧!"

"다들 진정해요, 마신이 모습을 드러내고 있잖아요……!"

그가 처음으로 빚어낸 마법은 그 자체로 하나의 계산 술식이었다.

눈앞의 거대한 적을 봉인하기 위해 몇 분할이나 해야 하는가, 어떻게 분할해야 그의 여동생을 안전하게 구해 낼 수 있는가를 계산해 내기 위한 고도의 술식.

스스로도 자신이 마법을 다루고 있다는 것이 믿기지 않아 실소하며, 에반은 가만히 생각했다.

사태의 시작부터, 지금에 이르기까지를.

[마신께서 정말로 강림하신다!]

[폭주는!? 폭주는 멈춘 건가!]

[그건 요마왕께서 일러 주실…… 없어!?]

[혼원계의 기운이 섞이긴 했지만 저건 분명 마신이시다! 우리를 만드신 분도 몰라봐서 어떡한단 말이냐!]

[하지만 십마가 전부 죽었잖아!]

[마신이 강림하시는데 십마 따위가 무슨 상관이야!]

어째서 자신이 전생을 기억해 낸 것일까, 하는 의문은 계속해서 품고 있었다.

이 넓은 세상의 다른 그 누구도 아닌, 요마대전3의 개그성 엑스트라에 불과한 에반 디 셰어든이 어째서.

하지만 알고 보면 간단했다.

애초에 자신밖에는 없었던 것이다.

[말도 안 돼, 저런 어마어마한 기운을…….]

[맞설 수 없어. 무리다!]

[하지만 그렇게 되면 인간들의 신앙은?]

[포기해야 한다. 차라리 이다음의 세상을 찾는 것이 더 빠를 거야.]

[이다음의 세상.]

[머나먼 여정이 되겠군.]

어째서 주인공도 아니고, 작중에서 수행하는 특별한 역할도 없는 주제에 그렇게 에반의 삶과 죽음에 제작진이 공을 들였는가?

모두 이계에서 흘러들어 온 그의 파편에 담긴 기억이 반영되었기 때문이었다.

그러니 그가 전생을 자각한 것은 필연이라고 할 수 있었다.

그의 기억이 먼저 그곳으로 넘어갔으니, 지구에서 기억이 흘러든다면 그것 또한 에반에게로 오는 것이 당연하지 않겠는가.

"우리의 신이시여…….."

"제로님, 부디 저 재앙을 막아 주소서."

"선택받은 세계의 왕이시여."

"부디…….."

"세계수께서 우리를 지켜보고 계셔. 이 땅을 지키기 위해, 힘을 빌려주고 세서……!"

"그분을 믿고 당당히 서라. 우리는, 숲 요정은 결코 물러서지 않아!"

물론 일의 선후 관계를 똑바로 설명할 수 없는 모순적 요소가 존재하는 것도 사실이었다.

에반이 과거로 날아오는 일이 없었으면 그의 기억이나 존재, 능력의 파편이 여럿 퍼지는 것도 불가능했을 것이고.

그랬으면 애초에 지구에서 요마대전이 탄생하는 일도 없었을 것이고.

그랬으면 에반이 전생을 자각할 일도 없었을 터, 그가 과거로 날아오는 일도 없어야 정상이니까.

"하지만 실제로 일어났으니 어쩔 수 없나."

에반은 그렇게나 타임 패러독스를 피하기 위해 고생했던 지난날들을 떠올리며 한숨을…… 쉬다 말고 헛기침을 했다.

아니, 생각해 보면 결국 여태껏 제멋대로 해 왔던 것 같기도 한데.

그리 깊게 생각할 필요 없으리라.

중요한 것은 이 모든 일들의 중심에 자신이 있음을 인지하고.

꼬일 대로 꼬인 실타래를 스스로 풀어내는 것.

"분할 압축이라는 게 무슨 뜻인지요, 신님."

모든 번뇌를 몰아내고 지금 자신이 해야 할 일에만 집중하기로 결심한 에반을 샤레이의 목소리가 붙들었다.

그렇지, 그러고 보면 아직 그 얘기를 하는 도중이었던가.

"뭐, 정확히는 분할 봉인이라고 해야겠지만."

에반은 뒤를 돌아보다 이 전장에 있던 대부분의 인원이 마신의 영향을 피해 물러나는 것을 발견하곤, 피식 웃으며 마녀들에게 말했다.

"어차피 저만한 덩치의 마신을 고스란히 봉하는 건 무리잖아?"

"싸우는 것도 무리예요. 오직 전투만을 위한 아공간을 만들어 내도 힘들 지경이라고요……!"

그렇다.

사실을 말하자면,

설사 엘리자베스가 없었다고 해도, 이대로 마신과 맞서 싸우는 것은 불가능한 일이었다.

에반의 힘이 부족하기 때문이 아니다.

오히려 너무 강하기 때문에 문제가 된다.

마신이 품고 있는 힘은 지나치게 거대해서, 지금 이 세상에 마신이 현신하는 것만으로도 세상에 끔찍한 부담이 걸릴 지경이었다.

에반이 세계수를 진즉 레벨 업 시켜 주지 않았더라면, 세계수가 세계를 지탱할 힘을 충분한 시간 동안 기르지 못했더라면, 이 시점에서 세상이 붕괴를 시작했을 만큼 말이다.

그런데 만약 그런 마신과, 그 마신을 멸할 수 있는 힘을 지닌 에반이 정면으로 충돌한다면 어떻겠는가.

그 결과 누가 승리를 거두든…… 세상은 회복이 불가능할 정도로 끔찍하게 파괴되고 말 터였다.

"그러니까 일단 저걸 나눠서 봉인하는 거야. 내가 나눠 줄 테니까 너희는 그걸 받아서 봉인하면 되는 거지."

"굉장히 어려운 대마법 같은데 도련님이 그렇게 말씀하시니 무슨 공산품 생산 과정처럼 느껴지니 신기하네요."

"어렵고 까다로운 과정 맞아."

파편을 흡수하며 마도의 능력을 얻지 않았더라면 에반도 물리적으로 마신을 잘라 봉인한다는 생각밖에는 하지 못했을 것이다.

……그래서야 그냥 마신의 사체를 나눠 묻는 셈이 될 뿐이다.

당연히 엘리자베스도 구할 수 없고, 세상도 망한다.

"그 마법진, 혹시 분할 봉인이라는 것의 술식을 실시간으로 구축하고 계신 건가요? 척 봐도 무척 힘들 것 같네요…… 하지만 제 목숨을 바친다면 어떻게든!"

"바치지 마."

에반이 딱 잘라 말하자 샤레이가 곤란한 표정으로 웃었다.

아무래도 아직 분할 봉인이 무엇인지 잘 이해하지 못한 모양이다.

아르파 역시 서서히 형태를 갖춰 가는 마기의 기둥을 올려다보며 조심스레 에반의 옷깃을 잡았다.

"정말 어마어마하긴 하네요, 신 오빠. 지금 저것이 혼원계의 중심이라고 해도 과언이 아니겠어."

"저걸 대체 무슨 수로 막는 거야……?"

다른 무수한 이계로 이어지는 가능성, 마신은 그 자체와 결합하고 있었다.

그러니 만약 에반이 의도한 대로 저것을 봉인할 수 있다면, 아마 멋대로 이계의 균열이 열리는 것을 당분간은 막을 수 있을 터다.

……그러니까 현대의 에반이 힘을 얻어 성장할 때까지는 말이다.

[모든 흐름이 이 순간으로 향하고 있다.]

그때 재차 마신의 목소리가 들려왔다.

그것은 이 넓디넓은 전장 전체에 울려 퍼질 만큼 웅장한 목소리였으나, 한편으론 에반의 귓가에 대고 소곤거리는 것처럼 들리기도 했다.

[그리고 그 흐름을 이끌어 온 것은 바로 너이다. 네가, 나의 뜻에 따라 그렇게 했다.]

마신의 차가운 미성이 에반의 심장을 찌르고 파고들어, 그의 몸 전체에 스멀스멀 퍼져 나갔다.

마기의 기둥이 구체적인 형태로 압축되어 가는 것이 보였다.

그 안에서 검은 피부의 거인이 모습을 드러냈다.

어디서 많이 본 듯한, 아름다운 미녀의 나신.

던전에서 에반이 그렇게나 많이도 부수었던 바로 그 마신상의 모습이었다.

이제 와 보니 그 얼굴은 그의 여동생을 조금 닮아 있는 것처럼도 보였다.

키는 수백 미터에 이르렀으며, 대지를 짚은 두 다리의 간격만도 거대한 신전 하나가 들어갈 만큼 컸다.

드래곤보다도 거대한 덩치, 드래곤과는 비교도 되지 않는 마력.

마신에게는 이 공간에 존재하는 모든 이의 시선을 강제로 잡아당기는 힘이 있었다.

[너는 나의 분신이 아니나 그 누구보다도 내게 가까운 존재다. 네가 품고 있는 마기가 그것을 증명하며, 너와 내가 이렇게 마주 보고 있는 것 또한 그렇다.]

"당당히도 개소리를."

에반은 자신이 신고 있는 부츠에 한 번 시선을 주고는 다시 고개를 들었다.

그러니까 지금 이 부츠를 통해 에반의 행동을 유도했다고 말하고 싶기라도 한 것일까?

헛소리에도 정도가 있다.

이 부츠에 새겨진 데빌 룬도 제대로 파악하지 못하고 있으면서 대체 무슨 수로.

[과연 강인한 정신이구나. 여동생과는 달라.]

하지만 이어지는 목소리에는 에반도 인상을 찌푸리지 않을 수 없었다.

[그 소녀는 본능적으로 내게 이끌리고 있었지. 어째서 그 아이가 시공을 넘어올 수 있었을까? 어떻게 지금 내 앞에 나타날 수 있었을까. 그것이 너의 여동생의 본능에 따른 결과이기 때문이다.]

[그 아이는 실로 차곡차곡, 몸에 나의 기운을 쌓고 있었지.

설령 신들이 어떤 수작을 부려도, 결국 내게 이끌릴 이들은 이끌리게 되어 있으니.]

"……."

엘리자베스가 세어든 던전을 클리어하는 과정에서 마신의 영향을 받고, 신대로 넘어와 마계를 휩쓸고, 그 끝에 스스로 원하여 마신에게 흡수되기까지 했다는 얘긴가.

만약 에반을 흥분시키기 위해 그런 말을 한 것이라면 대성공이다.

하지만 에반이 하려는 일을 방해하기 위한 것이었다면, 마신은 방금 최악의 선택을 한 것이다.

[오오오, 마신께서!]
[강림은 성공이었는가!]
[아름다우십니다, 마신이시여……!]

한편 마족들은 지상에 모습을 드러낸 마신을 보고 일제히 그 자리에 엎드렸다.

가까이 다가가기엔 두렵고, 그렇다고 도망칠 수는 없기에 멀리서 몸을 엎드리는 모습이 솔직히 웃겼다.

하지만 그 마족들을 보며, 자신을 이 땅에 강림시키기 위해 헌신한 백성들을 보며 마신이 가장 먼저 한 일은.

[잡것들이구나. 하지만 다른 기운이 넘쳐 나고 있으니 너희들이라도 이용해 균형을 갖추어야겠다.]

바로 그 마족들을 흡수하는 것이었다.

[마신이시여…… 아아아아!]
[마신께서 우리를 원하신다!]
[그분께서 원하신다면, 나는 기꺼이 혼을 내드리리…… 아아아아아!]

울부짖으면서도 기꺼이 죽음의 손길을 받아들이는 마족들.
그의 곁에 있던 메이벨과 로즈가 덩달아 몸을 움찔하는 것이 느껴졌다.
아마도 마족이기에 이해할 수밖에 없는 마기의 교류가 일어난 것이겠지.

[이럴 수가.]
[이 세상은 끝났어. 구할 수 없다.]
[인간들이여, 미안하구나…….]
[도망쳐!]

신들은 그 광경을 보고 하나같이 기겁하여 줄행랑을 놓았다.
신들이 마신을 무턱대고 죽이려 할 것을 석징해 그들을 마으려던 레오와 아리아의 의기가 무색해질 지경이었다.

물론 도망치지 않고 남은 이들도 있었지만, 그들의 능력으로는 이 전장에 있는 이들을 보호하는 결계를 펼치는 것이 고작이었다.

"공격해!"
"신께서 우리를 지켜 주실 것이다!"
"저 거인을 쓰러트려!"

그러나 이 와중에 유일하게 종족 연합군만은 실체를 드러낸 마신을 향해 공격을 퍼붓고 있었다.

물론 그들의 공격은 마신의 피부에 흠 하나 남기지 못할 것이나, 에반은 그들을 말리지 않았다.

"스킬 경험치는 엄청 오르겠네."
"도련님!?"
"괜찮아. 연합군이 공격을 하든 안 하든 마신의 대응은 달라지지 않을 테니까."

마신이 자신에게 닿지도 못하는 이들에게 관심을 둘 리가 없었다.

에반의 생각은 타당하여, 마신은 자신에게 날아드는 화살이나 투창, 혹은 마법 따위를 간단히 무시하고 허리를 숙여 에반을 바라보았다.

　[이젠 네가 내게로 올 차례로구나.]
　[동생을 걱정했었지, 이제 곧 하나가 되게 해 주마.]

　마신의 거대한 손이 에반에게로 천천히 뻗어 왔다.
　에반이 그것을 마주해 자신의 손을 들어 올리는데, 갑자기 옆에서 그의 팔을 붙들고 매달리는 이가 있었다.

　"안 돼, 에반! 리즈 언니처럼 빨려 들어가!"
　"에이르."

　마화족의 피를 이은 에이르는 엘리자베스가 아니었다면 아마 마신에게 확실하게 흡수되었을 것이다.
　바로 눈앞에서 엘리자베스가 흡수되어 사라지는 광경을 보았기 때문인지, 에이르는 금방이라도 눈물을 터트릴 것 같은 얼굴로 에반을 애써 뒤로 잡아끌려 하고 있었다.
　그러나 에반은 상냥하게 그녀를 달래 주었다.

　"걱정 마렴, 에이르. 내가 사라지는 일은 없을 테니까."
　"리즈 언니는?"
　"물론 리즈도 구할 거야. 나만 믿어."
　"……웅!"

마족의 피를 이은 자로서 마신의 능력을 누구보다도 실감나게 느끼고 있을 그녀는 에반의 장담에 조금 안심한 표정을 지으며 그의 팔을 놓았다.

마침 그 타이밍에 술식의 계산이 끝났다.

"샤레이와 아르파는 일단 대기. 봉인 마법을 쓸 준비만은 해 둬."

"넵!"

에반은 자신의 고유 무장을 재차 활성화했다.

멸천력에서 비롯된 강렬한 기운이 그의 부츠, 마신의 축복을 휘감았다.

마신에 의해 만들어져, 마신의 기운을 담고 있는 부츠.

"후……."

[……!?]

하지만 에반이 그것을 자신의 무장으로 선택한 순간.

그의 피로 붉게 물들여, 다시 그것을 고유 무장으로 빚어낸 순간.

그것은 지금까지 없었던 변화를 일으켜, 에반의 모든 능력을 극적으로 끌어 올렸다.

"고유 무장의 이름, 생각하는 것도 유치해서 관뒀었는데."

에반이 뻗어 낸 팔이 마신이 뻗어 낸 팔과 맞닿았다.
마신에게서 끊임없이 뿜어져 나오던 사악한 마기가 그 순간, 뚝 끊어졌다.

"역시 에볼루션이라고 부르는 게 좋겠어."
[아!?]

그 말과 함께 그는 마신을 있는 힘껏 내동댕이쳤다.
수백 미터 크기의 거인이,
2미터도 되지 않는 키의 인간에게 휘둘려,
그 뒤로 처참한 흔적을 남기며 나동그라졌다.

—콰아아아아아아앙!

"지금이야, 다들 저거 조져!"
"아깐 조지면 안 된다며!?"
"계산 다 끝났어요. 저거 봉인하려면 힘 한참 빼 놔야 되니까 걱정 말고 때려요, 할아버지!"
"좋았어. 그럼 간다!"
"아이참, 레오오오오!"

최종전의 막이 올랐다.

……다른 말로는 그것을 북어 패기라고도 했다.

마신을 상대한다는 것.

그것은 하나의 세상을 상대하는 것과 같다.

완전한 모습으로 강림한 마신은 분명 눈에 보이는 곳에 실재하고 있었으나, 인간이 손을 뻗는다고 쉬이 닿을 수 있는 존재가 아니었다.

"연합군은 일단 마족들을 상대해! 살아남은 마족들은 언제든 마신의 배터리가 될 수 있으니까 그것들을 없애는 거다!"

"알겠습니다!"

"우리의 신께서 지침을 내려 주셨다!"

[어찌 마신 앞에 무릎을 꿇지 않는가.]

[어리석은 놈들이 발버둥을……!]

뭐, 쉽게 말하자면 평범한 인간 수준에선 아무리 드래곤의 무구로 공격력을 끌어 올려 봤자 마신의 방어력을 뚫을 수 없다는 뜻으로, 에반은 그런 이들에게 살아남은 마족들을 상대할 것을 맡기고 자신은 마신을 집중적으로 마크했다.

"어딜 일어나려고."

[크아아악……!]

에반은, 사악한 마기를 끌어 올리며 몸을 바로 세우려는 마신에게 대담하게 접근해 다리를 후렸다.

에반의 키는 2미터, 상대의 키는 대략 400미터.

겉으로만 보면 그의 가느다란 다리가 마신의 다리를 걸어 찬다고 조금이라도 변화를 일으킬 수 있을 것 같지는 않았지만……

멸천력의 힘으로 고유 무장으로 거듭난 에반의 부츠가 마신과 격돌하는 순간, 세상이 새하얗게 물들었다.

끔찍한 굉음과 폭발.

신체가 강화되지 않은 이라면 그것만으로 목숨을 잃었을 만큼 치명적인 충돌 끝에, 마신은 끝내 에반의 기세에 밀려 다시 그 거체를 바닥에 떨어트렸다.

[내가 너에게 베푼 힘으로 나를 대적할 셈이냐!]

"처음부터 그냥 빼앗겼을 뿐이면서 베푸는 척 개쩌네."

마신의 쩌렁쩌렁하게 울리는 목소리에 에반은 기가 찬다는 듯 대구하며 멸천력을 뻗어 내 놈을 옥죄었다.

겉으로 보기엔 그저 근접 공격으로 상대를 바닥에 넘어트리는 것처럼 보이겠지만, 사실상 그것은 에반과 마신의 처절한 마력전이라고 할 수 있었다.

마신과 같은 존재에게 사실 육체를 가누고 가누지 못하고가 무슨 의미가 있겠는가. 에반은 지금 마신이 다른 수를 쓰지 못하도록 실시간으로 놈을 통제하고 있는 셈이었다.

"으랏차아아아!"

그리고 그렇게 에반이 놈을 꽁꽁 묶은 틈을 타 레오의 혼신의 힘을 다한 공격!
한 세대를 대표했던 강자였으며 지금은 그보다 한참 더 강화된 레오임에도 불구하고 그의 대검이 마신에게 남긴 흔적은 지극히 미미했다.

"하하!"

레오는 마신의 몸통에 아주 작은 흔적을 남기고는 스스로도 기가 차 헛웃음을 터트렸다.

"이래서야 앞으로 백만 번 정도는 검을 휘둘러야겠는데!"
"어떻게든 마신의 힘을 소모시키기만 하면 돼요, 실체에 연연할 것 없어요! 베어 낸다 생각하지 말고 할아버지의 마력으로 마신의 마기를 분쇄한다고 생각해요!"
"하여간 저 녀석은 자신에게만 가능한 일을 남들에게도 태연히 요구하는 게 문제라니까."
"시간이 지날수록 놈이 육체에 익숙해지고, 그런 만큼 강해질 거예요. 지금 최대한 데미지를 입혀요!"

레오뿐만이 아니라 미로엘과 페이나 역시 마신을 향해 공격을 쏟아 냈다.

미로엘은 고유 무장을 갖고 있는 만큼 레오보다 확실히 강했고, 페이나도 신의 힘을 받은 사도인 만큼 마기의 집합체인 마신에게 가하는 피해량이 무시할 수 없는 수준이었다.

"사도인 페이나 님도 저렇게 열심히 싸우는데 신들은 다 어디 갔어?"

"다 도망쳤어요. 걔네 부른 의미 처음부터 없었던 거 아녜요?"

마기로 마신에게 피해를 줄 방법이 없어, 에반 대신 전장 상황을 전면적으로 살피며 그에게 전달해 주는 오퍼레이터 역할을 맡은 메이벨이 한숨을 내쉬며 말했다.

사실 신들에게는 마신을 상대해 기력을 조금이라도 깎아 내 줄 것을 기대했던 만큼 이 전장에서의 성과만 놓고 보면 F였지만……

"아니. 세상에 신들의 힘을 퍼트리기 위해서라도 한 번 부르긴 했어야 해. 결과적으로 적절한 수준으로 영향력을 깎을 수 있었으니 좋은 셈 칠까."

"그런 의도가……."

"딩연한 거지. 아무리 그놈들이 꼴 보기 싫어도 결국 신들의 힘이 닿지 않으면 중간계는 발전할 수 없으니까."

더구나 지금 전장에 남은 건 페이나 한 명뿐.

생존자들을 중심으로 대지모신의 교리가 퍼지기에는 절호의 조건이다.

지금쯤 상대적으로 안전한 던전을 탐험하고 있을 조지 일행에게는 이미 대지모신의 교리를 심어 두었으니 문제가 될 것도 없다.

그래, 여기까지는 틀리지 않았다. 이제 남은 오류만 수정하면 된다.

[내가 너를 부르는 소리가 들리지 않느냐.]

[그 힘이라면 나를 온전히 떨쳐 낼 수 있을 것 같으냐!]

마신의 끔찍한 기운이 지금이라도 폭주할 것처럼 넘실거렸다.

아무리 에반이라도 멸천력으로 마신의 움직임을 속박하는 것은 불가능했고, 그 대신 그는 여러 가지 수단을 동시에 구사해 마신을 공격하는 것으로 놈을 옴짝달싹 못하게 만들기로 했다.

"흐아아압!"

헤븐 프레스.

헤븐 쓰로우.

헤븐 블레이드.

천중을 다루던 시절 얻었던 모든 스킬들을 멸천력…… 아니, 고유 무장을 기반으로 펼쳐 낸다.

끔찍한 압력이 마신의 거대한 동체를 위에서 아래로 짓누르고, 그 위로 수십 개의 파멸의 기운이 응축된 운석이 쏟아져 두들기고, 진정한 고유 무장으로 거듭난 거대한 칼날이 솟구쳐 마신의 몸을 베어 냈다.

[큭……!]

그뿐만이 아니다.

멸천력으로 일대 압력을 조절해 생성한 거대한 소용돌이로 놈을 가두고, 멸천력의 인위적인 충돌로 하늘에 방대한 양의 뇌운을 만들어 내어 마신에게 번개의 세례를 쏟아붓기까지 했다.

신대로 넘어와 처음으로 전력을 다해 싸우는 에반의 위세에 대기가 진동하고 땅이 마구 갈라졌다.

아직까지 살아남은 마족들도, 그런 놈들과 맞서 싸우던 종족 연합군도 그것을 보며 경악하지 않을 수 없었다.

"어마어마한 마도력……!"
"대자연을 뜻대로 주무르고 있어!"
"시, 신이시여."

아니, 이건 마도가 아닌데. 대자연을 뜻대로 주무르고 있는
건 맞는 말이지만…….

당장 상황을 놓고 보면 에반이 일방적으로 마신을 몰아붙
이고 있는 것처럼 보였다.

그러나 마신은 에반이 처음 우려했던 것처럼 점차 스스로의
육신에 적응해 가고 있었고, 빠르게 힘을 찾아 가고 있었다.

[과연 대단한 능력이구나, 나의 분신과는 비교도 되지 않
아. 하지만……!]

일행의 끊임없이 쏟아지는 공격에도 불구하고 기어이 일어
서 지상에 그 거대한 몸을 우뚝 세운 마신은 어느 순간, 하늘
로 손을 뻗어 자신을 향해 내리치던 거대한 낙뢰를 붙들었다.

그리고 그것을 파괴했다.

[모든 힘의 주인인 나를 무너트릴 수는 없어!]

"……."

살짝 무너질 뻔도 했던 것 같은데.

에반은 마신이 낙뢰를 없애 버리는 광경을 보며 말없이 자
신의 두 주먹을 불끈 쥐었다.

방금 마신이 구사한 힘이 누구의 것인지 대충 알 것 같았기
때문이다.

[너의 여동생이 나로부터 싹을 받아 발전시킨 힘이다. 그것을 다시 주인에게 돌려주었으니, 예절을 아는 아이라고 할 수 있겠구나. 그에 반해, 너희들은……!]

엘리자베스를 비롯해 제물로 바쳐진 이들의 능력을 다루기 시작한 마신은 에반의 격렬한 공세를 버텨 내며 한 걸음을 내디뎠다.

에반이 발한 것에 아주 약간 못 미치는 둔중한 진동이 대지를 울리고, 마신이 뿜어낸 마기가 지상으로 퍼져 나가며 악하지 않은 모든 이의 마력을 뒤흔들었다.

"큭, 제로……!"

"미로엘, 버텨."

"버티고…… 있어요……!"

마신에게 집중적으로 화살을 쏘아 내던 미로엘이 자신의 고유 무장을 붙잡으며 괴로워했다.

자신의 혼을 직접적으로 내놓고 있는 것이나 다름없으니, 공격력도 극강해지는 반면 마신의 마기에 노출되어 입는 충격도 더 큰 것이다.

[고작 이따위 힘으로 내게 생채기라도 입힐 수 있을 것 같았더냐?]

"크학!"

방금 마신의 발걸음은 전장의 모든 이들을 강제 스턴 상태로 만들었다.

그다음에 이어지는 것은 끔찍한 공격.

에반이 놈의 마기를 옥죄고 있어 마법을 빚어낼 여유는 주어지지 않았지만, 대신 놈은 그보다 확실하고 강력한 수단을 택했다.

자신이 얻은 파괴의 힘을 한 손에 담아 자신 주위에서 얼쩡거리던 인간들을 쳐 낸 것이다.

아리아는 자신의 남편이 허공으로 튕겨져 나가는 것을 보며 기함했다.

"레오!?"

"안 죽었어! 빌어먹을, 덩치에 비해 더럽게 빠르네······!"

"실제 타격 범위보다 넓은 타격 판정을 가진 공격이에요! 힘의 궤적을 읽어 내고 피해요!"

"글쎄 아까부터 자꾸 무리한 걸 요구하지 말아라 이놈아! 쿨럭!"

에반은 파괴의 권능을 빠르게 분석해 외쳤다.

근접전에 한정한다면 어쩌면 멸천력보다 위험할지도 모르는 힘이다.

대체 엘리자베스는 저런 힘을 어떻게 손에 넣었던 것일까.

하지만 보다 무서운 것은 그것을 마신이 습득하여 강화시키기까지 했다는 점이다.

"상처 입은 이들은 물러나!"

"하지만 마신이!"

[벌레들…… 벌레들의 울음소리가 시끄러워!]

에반은 우레처럼 진동하는 파괴의 권능을 사방으로 휘두르며 추격타를 가하려는 마신에게 돌진하며 자신의 주먹에 전력을 집중시켰다.

지금 그의 주먹을 감싸고 있는 것은 제라의 룬이 새겨진 장갑.

그것이 일시적으로 고유 무장으로 화하여 에반에게 결코 흔들리지 않는 강철의 체력과 산이라도 무너트릴 수 있는 거력을 부여했다.

물론 어느 쪽이든 처음부터 에반에게 있었던 것이지만, 신의 룬이 부여하는 능력은 어디까지나 에반의 현재 능력에 비례해 능력을 증대시켜 준다는 점에서 위대했다.

"흐아아아아압!"

고유 부장의 능력으로 인해 일시적으로 거대화한 그의 주먹이 마신의 정강이를 강타했다.

　마신은 뒤로 주르륵 밀려나며 분노에 찬 음성으로 대지를
진동시켰다.

　[큭, 이것은 퇴거한 신들의 힘……!]

　"그래, 신들이 내게 이 힘을 주고 사라진 거다!"

　사실 전혀 아니지만 마신을 위축시키기 위해서라면 무슨
거짓말이라도 할 수 있었다!

　마신은 파괴의 권능으로 에반도 밀어내려 했지만 에반은
고유 무장의 힘을 전신으로 퍼트려 그것을 막아 냈다.

　마신과 정면에서 힘 대결을 하는 에반의 모습을 보며 다른
이들마저 마신에 대한 공포감을 밀어낼 수 있었다.

　"제로 님께서……."

　"신이시여!"

　일반인들이 마신이 주는 위압으로부터 벗어나는 데에는,
사실 그런 것이 가장 큰 역할을 했다.

　에반이 보여 주는, 마신에게 결코 밀리지 않는 신위.

　정말로 대자연을 자신의 뜻대로 부리는 듯한 궁극의 마도(
물리).

　마신이 존재만으로 만물에 부여하는 공포를, 그의 압도적

인 능력이 정면에서 씻어 내렸다.

[수작을!]
"시끄럽다!"

마신에게는 다른 이를 공격할 여력이 남지 않게 되었다.

다음 순간을 전혀 고려하지 않고 힘을 마구 퍼부어 대는 에반에게 맞서기 위해 마신 또한 자신을 공격하는 다른 벌레들은 무시할 수밖에 없었다.

그리고 그 벌레들의 타격은 꾸준히 데미지가 되어 마신의 마력을 좀먹었다.

레오는 경악스러운 광경을 보여 주는 자신의 제자를 어떻게든 놀래켜 주고 싶어 온 힘을 다해 대검을 내질렀고, 미로엘은 고유 무장을 유지할 수 있는 시간이 얼마 남지 않은 것을 알고 모든 힘을 한 군데 집중시켜 쏘아 냈다.

[끅!?]

기어이 그 벌레들이 좀먹은 살점이 생각보다 크다는 것을 깨달은 마신이 고통에 찬 목소리를 흘리며 그것들을 죽이기 위해 손을 내지르는 시점.

"핫!"

에반은 절묘한 타이밍에 자신에 대한 가드를 허술히 하는 마신의 복부에 멸천력을 있는 힘껏 때려 박았다.

에반의 고유 무장은 만물을 강화하는 개념의 힘.

순수한 멸천력이 보다 상위의 힘으로 승화되어, 마치 밤하늘의 은하수처럼 은빛 물결을 치며 마신의 육체를 꿰뚫었다.

마신의 마기를 한 움큼 뜯어내 소멸시켰다.

[오빠……?]

그 순간, 엘리자베스의 목소리가 에반의 귓가에 울렸다.

에반의 움직임이 반사적으로 멈추었다가, 다음 순간 더욱 거세게 마신을 후려쳤다.

"이 개자식이!"

[오빠, 오빠!]

[너의 여동생이 너를 찾는구나. 너를 애타게 찾는구나!]

녹음기로 재생한 것처럼 일정하게 울려 퍼지는 엘리자베스의 목소리에 더해.

그를 조롱하는 듯한 마신의 목소리가 끈적끈적한 독액처럼 에반의 머리에 쏟아져 내렸다.

하지만 에반은 지금 엘리자베스의 의식이 마신으로부터 분리될 수 없음을 알고 있었다.

그게 가능하다면, 에반이 지금 마신에게서 엘리자베스를 빼내는 것도 얼마든지 가능할 터였다.

그러니 마신은 지금 에반을 능멸하고 있는 것이다.

그의 발걸음을 조금이라도 늦추면 그것으로 만족, 그렇지 못하더라도 그에게 정신적인 데미지를 입혀 줄 수 있으니 성공.

[동생의 목소리가 들리지 않으냐, 내게 파괴의 힘을 줘여준 너의 동생의 목소리가……?]

"네가 마지막 페이즈에 들어갔다는 뜻으로 알아들으마……!"

어림도 없다.

에반의 분노는 이성적이며 동시에 격렬하고 폭력적이다.

정말로 엘리자베스를 구하기 위해서라면.

지금 이 손을 멈출 수는 없다.

"시, 신 오빠. 지금 봉인해야 되는 거 아녜요?"

"신님, 아까 보여 주신 술식의 해석은 끝났습니다. 언제든 신호만 주신다면……!"

"아직 아냐."

한편 에반의 등 뒤에서 철저하게 그의 보호를 받고 있는 두 명의 마녀들은 무척이나 초조한 기색.

그도 그럴 것이다. 다른 이들은 목숨을 걸고 싸우고 있는 지금, 둘만 가만히 대기를 하고 있는 것이니까.

하지만 에반은 둘이 당장에라도 봉인 마법을 쓸 수 있도록 준비시키면서도, 아직 사인을 주지는 않았다.

"제로, 이제 곧 고유 무장이 해제될 것만 같아요……!"
"나도 곧 한계다!"
[제로……!]

에반과 함께 마신을 공략하던 이들에게도 한계가 찾아왔다.

에반은 그들에게 마지막 일격을 쏟아 내고는 물러나게끔 지시했다.

거세게 쏟아지던 공격의 기세가 잦아들자, 마신은 돌연 두 손을 하늘로 뻗어 올리고 마기를 끌어모았다.

엘리자베스의 파괴의 권능뿐만 아니라 스스로를 네이브라 칭하던 대마도사가 다루던 마도의 힘도, 물론 마계를 관장하는 마신의 거력까지 함께 깃든 에너지의 덩어리.

[마신의 은총, 이 지상에 베풀리라.]

겉으로 보기엔 처음과 비교해 전혀 손상을 입은 것처럼 보이지 않는 마신.

검고 불길하며 거대한 에너지의 구체를 쥔 마신의 양손이 땅으로 내리쳐졌다.

에반은 그 순간 자신의 손을 뻗었다.

그 손 위로 고유 무장에 감싸여 강화된 마법진이 나타났다.

"지금!"

요마대전 제로에서 나오는 대마도사의 마도는 무척이나 다양하고 강력했는데, 작중에서 그가 기억을 되찾을 때마다 발전하는 마법의 형태를 역으로 추적하다 보면 얼추 그 근원을 파악할 수가 있었다.

그가 다루는 마도는 '공간' 그리고 '창조'로 정의할 수 있었다.

일정한 공간에 자신의 마력으로 영향력을 행사한다.

대마도사의 의지에 따라, 그리고 그의 마력량에 따라 창조된 무언가가 그 일정 공간 안에서 작용하거나 혹은 외부와 상호 작용한다.

'예를 들면 메테오. 하늘 위 공간을 일시적으로 자신의 통제하에 두고, 창조 능력으로 인공의 운석을 만들어 내어 투척하는 거지.'

그 외에도 지진, 폭풍, 번개 등등 무수한 강력한 마법의 형태를 공간과 창조의 능력으로 만들어 내는 것이 가능했다.

그것이 대마도사가 게임 속에서 최강이라고 불렸던 이유였다.

요마대전 제로를 플레이했던 이들은 그저 이것이 대마도사의 고유 능력, 즉 '대마도사'라는 직업에 딸려 오는 마법 체계라고 생각했지만 진실을 알고 보면 전혀 그렇지 않았다.

사실 그것은 그저 마신이 다루는 마도를 변형한 것에 지나지 않았다.

마계라는 공간을 지배하고 그 안의 저주스러운 피조물들을 만들어 낸 마신의 능력이 자신의 분신에게 마이너 카피되어 있었던 것이다.

심지어 지상에서 다루는 마도에는 마기를 반영할 수 없었기에, 그 모든 마법은 약화된 상태라고마저 할 수 있었다.

'아마 마기를 처음부터 각성한 이번엔 다루는 마도의 형태도 상당히 달라졌겠지.'

당연하지만 에반이 다루는 것은 마기를 각성한 고대의 대마도사가 다루던 마법이 아니라 게임 속 대마도사가 다루던 마법.

단순히 대마도사의 능력을 얻은 것뿐만 아니라 요마대전 제로를 플레이하며 그의 마도 체계를 이해하고 있었기에 가능한 일이었다.

'일정한 공간에, 내 마력으로 만들어 낼 수 있는 무언가를 창조.'

다행히도 그가 꾸준히 익히고 수련해 온 멸천 또한 일정한 공간에 힘을 작용하는 능력이기에 대마도사의 마도는 에반에게도 낯설지 않았다.

아니. 까놓고 말해 그 능력이 파괴 행위에만 집중된다고 쳤을 때, 잘 모르는 이라면 구분하기 힘들 만큼 비슷한 힘으로 느껴졌다.

그러니 에반도 처음엔 혹시 자신이 고대의 대마도사가 아닌가 헷갈렸던 것이리라.

[큭……!?]
"핫!"

에반이 손을 뻗어 마법을 발현했다.

마신의 손끝에서 뻗어 나오던, 놈의 진력을 담아낸 끔찍한 마기의 구체를 눈에 보이지 않는 격자 구조의 마력 블록이 가두었다.

마신은 당혹하며 그것을 부수려 했지만 상당히 좁은 일정 공간 안에 영향력을 미치는 것뿐이라면 에반의 능력도 결코 밀리지 않았다.

[너!?]

이대로 마신과 힘겨루기를 할 생각은 없다.

에반은 잽싸게 손을 당겨 마신으로부터 마기를 분리해 내는 것과 동시에 마녀들에게 외쳤다.

"봉인해!"
"하지만 어디로!?"
"이 대지로."

마녀들은 일절 아무런 의문도 품지 않고 마법을 발현했다.

에반이 갖게 된 마도가 순수하게 술자의 역량에 좌우되는 것이라고 한다면, 그녀들의 마도는 무수한 조건을 전제로 성립되는 것.

자기 자신의 신체에 특정한 조건을 걸어.

오직 그것이 마신에게 적용될 때에 한해 마법을 사용 가능하게 만들었다.

그것이 그녀들이 다룰 수 있는 힘을 족히 세 배, 네 배 이상으로 증폭시켜 주었다.

[그것은 나의 아이들이 다루던 힘이구나!]
"그래, 그 힘으로 당신의 목을 졸라 주지!"

봉인 마법은 성공적으로 발현되었다.

재앙을 불러일으킬 마기의 구체는 마력 블록에 의해 빈틈
하나 없이 가두어져, 직후 드넓은 대지 어딘가에 깊숙이 봉인
되었다.

에반이 직접 저질러 놓고 우스운 일이지만, 이 이후의 인류
가 마신의 마기가 봉인된 중간계 위에서 살아갔을 것을 생각
하니 조금 오싹하게 느껴졌다.

"찾아올 수도 없을 거다."

[……]

마신은 정말로 분노한 것처럼 보였다.

아무런 말 없이 재차 성큼, 에반을 향해 한 걸음 걸어오며
사방으로 마기를 폭사했다.

그러나 그것에 피해를 입을 만한 인물들은 이미 다 저 멀리
떨어져 있는 상황.

마족들마저 제 창조주의 분노에 휩쓸리지 않게 몸을 사렸
고, 인간들은 그런 마족들을 사냥했다.

그리고 에반의 쇼는 이제부터였다.

'전투 과정에서 놈의 마기 구조는 충분히 분석해 냈어.'

그의 한 손 위에서 새로운 마법진이 떠올라 반짝였다.

고유 무장이 그것의 힘을 증폭시켜 주고 있지만 전투 내내 힘을 남발해 댄 탓에 이젠 한계가 가까워져 오고 있었다.

마신으로부터 뜯어낸, 지금은 충실한 에반의 종이 된 부츠 역시 이 개방 상태를 유지하긴 어려울 것이다.

그러니 지금부턴 단판에 승부를 낸다.

"봉인, 계속할 수 있겠지?"

"신님께서 완벽히 준비해 주셔서…… 하루 종일이라도!"

"신 오빠, 가능하면 빨리!"

샤레이와 아르파, 두 녀석의 대답이 조금 달랐다.

……아마, 둘이 이 공간에서 마법을 발휘하기 위해 스스로에게 건 제약에 조금 차이가 나는 모양이었다.

다행히도 무리한 일은 아니었다.

에반은 재차 마법을 발현했다.

마신의 한쪽 팔이 통째로 뜯어져 나와 허공에 부유했다.

에반의 마력은 빈틈없이 그것을 가두었고, 직후 발현된 마녀들의 마법이 다시 그것을 지상 어딘가에 봉인했다.

마신은 뚜렷이 당황하기 시작했다.

그의 감정을 반영하듯 하늘 위로 먹구름이 몰려오기 시작했지만 그런다고 이 장소에 대한 지배력을 되찾는 것은 불가능했다.

[어떻게 내 마기로 이루어진 영육을 이리 간단하게!]

"무엇 때문에 너와 계속 싸웠다고 생각하는 거냐?"

당연하지만 에반의 능력이라면, 보다 쉽게 마신의 힘을 빼놓거나 심지어 치명상을 입힐 수도 있었다.

하지만 그렇게 하는 대신 시간을 들여 충분히 놈을 분석했다.

모두 지금 그가 하고 있는 '마신 분할 작업'을 완벽히 수행하기 위해서였다.

[나의 분신의 능력으론 내 영육에 감히 해를 입힐 수 없어!]

"원래 적이 된 아군은 아군일 땐 상상도 못 했던 능력을 다루게 되는 법이야!"

이번엔 마신의 한쪽 발이 통째로 뜯겨져 나왔다.

그것마저 봉인하고 나자, 마신은 균형을 잃고 바닥에 쓰러져 굉음을 냈다.

몸의 일부를 잃은 마신의 육신이 변형을 일으키기 시작했지만, 에반은 그에 개의치 않고 다음으로 놈의 일부를 잘라 내어 봉인시켰다.

[이건, 불가능해……!]

마신이 마지막 발악이라도 하듯 남은 한 손을 허우적거렸다.

그 궤적을 따라 생겨난 거대한 암흑의 창이 에반을 똑바로 노리고 날아들었으나, 마법진을 띄우고 있지 않은 나머지 한 손으로 그것을 받아 낸 에반은 다시 그것을 날려 마신의 복부에 꽂아 넣었다.

그것을 경계로 놈의 신체 일부분을 다시 봉인했다.

[그 신들도 하지 못한……! 아아아아아아아, 이제 보니 너는 정체를 감춘 신이로구나! 빌어먹을 인간들의 의지가 너라는 새로운 신을 만들어 냈구나!]

"뭐래냐."

마신의 신체 일부를 떼어 내어 봉인하고 있으니, 마치 거대한 벌레 혹은 짐승이 마신의 몸을 반복적으로 물어뜯어 먹어 치우는 것처럼도 보였다.

그러나 그때, 마신의 영육 안에서 뭔가가 빛을 반짝이더니 사라졌다.

에반의 안색이 순간적으로 굳어졌으나, 곧 원래대로 돌아왔다.

'내가 봉인해야 될 것이 알아서 떨어져 나와 줬다면 고마운 일이지.'

아마도 그것은 마신 안으로 흡수되었던 대마도사이리라.

이미 스스로를 마신에게 바쳤음에도 불구하고, 마신의 영육이 갈가리 나뉘는 틈을 타 빠져나와 도망친 것이다.

하지만 지금 그 조그마한 조각을 놓친다 해서 마신을 봉인하는 데 큰 문제가 나타나지는 않는다.

어쩌면 나중에 마신을 죽일 때라면 사소한 문제가 될 수도 있겠지만, 기껏해야 그 정도였다.

다만 놈이 어떤 수단으로 도망쳤는가는 의문이었다.

놈에게 공간 이동을 수행할 여력이 남아 있었단 말인가?

아니면 어떤 '특별한 아티팩트'라도 가지고 있었던 걸까?

'알 수가 없네.'

지금 이 문제를 고찰하고 있을 여유는 없다.

에반은 이제 제법 몸집이 줄어든 마신을 향해 한 발짝 나아가며 재차 놈의 몸을 뜯어냈다.

멸천과 마도, 그것을 하나로 묶어 승화시키는 고유 무장.

그것은 능히 마신이라도 무릎 꿇릴 수 있는 조화를 이루었다.

[네, 네놈……!]

아차, 하는 순간에 자신이 벼랑 끝까지 몰렸음을 인지한 마신이 비통힌 목소리를 냈다

[어찌 나를 그렇게 거부한단 말이냐. 너와 나는 본질적으로 같으며, 너의 여동생 또한 내가 품고 있는데!]

"하."

마신은 그와 함께 또 엘리자베스의 목소리를 재생했으나 이제 그 정도로는 에반의 움직임을 일순간도 멈출 수 없었다.

마신의 몸이 또 일부, 뜯겨져 나왔다.

[저주할 것이다……!]

그리고 비로소, 그것이 시작되었다.

[네놈이 나를 이 세상에 봉인코자 한다면, 나는 감히 세상 그 자체가 되어 네놈을 저주하리라!]

갑자기 그가 밟고 있는 대지의 중력이 5배, 10배 이상으로 불어난 것처럼 그를 강하게 잡아당겼다.

[네놈은 결코 이 지상에서 숨 쉬지 못하리라. 하늘도, 땅도 너를 거부할 것이다. 이 세상을 이루고 있는 모든 물질 하나 하나가 증오를 담아 너의 이름을 부르짖을 것이다!]

달콤하던 신대의 대기에 끔찍한 독이 섞여 그의 폐부를 태우려 들었다.

[나는 세상의 이면에서 모든 존재와 그리고 너를 저주하리라. 너의 존재를 허락하지 않을 것이다. 언제까지고 너를 쫓아, 심연으로 데려오리라!]

방심하면 그 순간 그를 짓눌러 터트릴 수 있을 끔찍한 압력이 그의 전신에 가해졌다.

"도련님!"
"제로……!"
"하…… 이것도 오랜만이네."

아마도 순수한 파괴력으로 전환되었다면 꽤 골치 아팠을 그 힘은, 그러나 마신이 스스로 이길 수 없음을 확신한 순간 그보다 백배는 골치 아픈 힘으로 전환되었다.

마족이 말하길 세상의 저주.

그것은 중간계에 봉인된 마신의 육신에 기반하는 형태의 저주였다.

어쩐지 세상이 에반을 증오한다고 할 때부터 뭔가 느낌이 쎄하더라니.

에반은 이제야 모든 것을 이해하고 심지어는 나직이 웃기까지 했다.

그리고 마신의 머리통을 떼어 내 봉인했다.

[!!!!!!!!!!!!!!!!!!!!!!!!!!!!!!!!]

마신은 더는 소리를 내지 못했다.

물론 마신은 거대한 인간과 같이 보여도 실은 인간과 전혀 다른 몸의 구조를 갖고 있었지만, 에반이 봉인한 것은 놈의 영육에서 외부와 소통하는 부분이기도 했으니까.

[!!!!!!!!!!!!!!!!]

그럼에도 마신은 그를 계속해서 저주했다.

에반은 중간계에서 쫓겨나던 순간 그의 몸을 휘감던 묵직한 저주의 기척이 다시 돌아오는 것을 느끼며 오히려 익숙한 느낌을 받기까지 했다.

그렇기에 그것이 그의 행동을 막을 수는 없었다.

에반은 다시 손을 뻗어, 마신을 나누어, 봉인했다.

두 번 더 봉인하고, 그 끝에.

마신의 거대한 영육 안에서 엘리자베스의 육신이 모습을 내밀었다.

"리즈 언니!"
"안 된다, 아가야."

에이르가 눈을 동그랗게 뜨며 엘리자베스에게 달려가려 했지만 그 전에 로즈가 그녀를 붙들었다.

"아직 안 돼."
"맞아. 아직은."

마신을 나누어 봉인하기로 선택한 결정적인 이유는, 그렇게 해야만 온전히 엘리자베스를 구할 수 있었기 때문.
하지만 지금 엘리자베스는 엘리자베스의 모든 것이 담겨 있는 마신의 일부분일 뿐이다.
정말로 엘리자베스를 구하려면 그녀로부터 마신을 몰아내, 마신을 죽이는 수밖에 없었다.

'그리고 그건 지금은 할 수 없어.'

정확히는, 부족하다.
에반은 마신으로부터 빼낸 엘리자베스의 육신을, 마녀들의 능력으로 마찬가지로 봉인했다.
대신 그 봉인처는 이 세상이 아닌 네클레스 월드 안이었다.
마신과 다른 장소에 봉인하는 것으로 마신의 영향력을 최대한 배제하기 위해서였다.

[!!!!!!!!!!!!!!!!!!!!!!!!]

그렇게나 많은 부분을 잘라 냈음에도 여전히 에반에 대한 저주를 부르짖는 마신의 영육.

에반은 그것들 또한 차례대로 나누어 봉인했다.

그렇게나 거대했던 마신의 몸이 이 지상에서 완전히 사라지기까지 고작 몇 분도 채 걸리지 않았다.

"없어……."

"사라졌어."

"아아, 신이시여!"

"우리의 신이시여!"

"제로 님!"

실제로는 마신을 봉인한 것에 지나지 않았지만, 과정을 모르는 이들의 눈에는 어떻게 보였겠는가?

신들조차 도망가고 모든 이가 두려워 벌벌 떠는 마신을 상대로 한 발도 물러서지 않고 맞서 싸워, 끝내 놈을 죽인 것으로만 보이겠지.

"후…… 큭."

에반은 모든 이가 자신의 거짓된 이름을 부르며 환호하는 모습에 실소하다가도, 본격적으로 그 위용을 발휘하기 시작한 저주의 압력에 신음을 토했다.

마신이 다루던 능력보다도 놈이 남긴 저주가 더 강력하다니 이건 뭔가 문제가 있는 게 아닌가 싶었다.

"제로, 제로!"
"하여간 곱게 안 끝나는 건 최종 보스 국룰인가…… 괜찮아, 미로엘. 원래부터 내가 짊어지고 있던 거니까."

이 세상은 이제 그의 존재를 용납하지 않는다.
아직 여기서 해치워야 할 일이 제법 남아 있었는데, 유감스러운 일이다.
그와 동시에 므이라슬의 목걸이가 재차 빛을 발하기 시작했지만…… 그는 그것이 능력을 발휘하게 놔두지 않았다.
그것을 벗어 아리아에게 건넨 것이다.

"아리아 님, 아리아 님이 얻으신 공신의 능력으로 이 아티팩트를 조작하면…… 아마, 모두를 데리고 현대로 돌아갈 수 있을 거예요."
"제가 공신의 파편을 요구했던 진짜 목적을 알아차리고 계셨군요."
"물론이죠. ……그리고 메이벨."

두 사람의 대화를 듣던 메이벨은 잽싸게 그의 팔에 달라붙으며 눈에 눈물을 글썽거렸다.

"도련님…… 아니죠?"

"……그래, 넌 따라와."

"당연히 그러셔야죠!"

에반이 무언가 하려고 한다는 것을 알아차린 다른 이들도 전부 그에게로 몰려들었다.

하지만 에반에겐 그들과 일일이 대화를 주고받을 시간이 남아 있지 않았다.

그는 마신의 봉인을 담당한 마녀들에게 고개를 돌리며 말했다.

"미안, 내가 끝까지 챙겨 줘야 하는데 그러지 못해서…… 샤레이, 아르파. 어떻게든 마신의 봉인을 유지시켜 줘. 너희 능력이라면 가능할 거야."

"이미 그것을 염두에 두고 저희에게 제약을 걸었습니다, 신님! 다음에 다시 뵙겠습니다!"

"신 오빠, 분명 돌아오기까지 제법 시간이 걸리겠죠? 전 아마 그때 다시 보진 못하겠지만…… 고마웠어요."

샤레이도 아르파도, 그에게 자세히 캐묻지 않고 고개를 끄덕였다.

어쩌면 그에게 걸린 저주를 한눈에 파악한 것일지도 모른다.

에반은 그녀들에게 나직이 웃어 주고는 시선을 미로엘에게로 돌렸다.

"제, 제로. 무슨 일이죠? 왜 갑자기 그런……."
"처음부터 끝까지 제대로 된 얘기는 못 해 주고 고생만 시
켰구나. 미안해, 미로엘."

나중에 만나면 갚아 줄게.
그렇게 말하자 미로엘은 이별을 예감한 듯 눈물을 글썽거
리며 그에게 덤벼들었으나 그 전에 메이벨이 시전한 방어막
이 그녀의 움직임을 막았다.

"미안해요, 미로엘. 당신은 여기 남아야 해요."
"어째서!"
"그래야 미래에 만날 수 있으니까."

미로엘의 두 눈이 동그랗게 뜨였다.
에반은 다시 말했다.

"그럼 나중에 봐, 미로엘."
"정말 만날 수 있는 건가요……?"
"확실하게."

미로엘은 그의 확답에 잠시 머뭇거리는 듯하더니, 이윽고

눈에 맺힌 눈물을 자신의 고운 손가락으로 닦아 내곤 고개를
굳게 끄덕이며 답했다.

"늦으면 찾아갈 테니까요."
"알고 있어."
"네……?"

마지막으로는 페이나였다.

"대지모신께는 죄송하게 됐네요. 땅에 마신을 봉인하는 바
람에 대지모신께서 중간계에 영향력을 발휘할 때 더 고생
을……."
[제가 인도하죠.]

그런데 페이나가 뜬금없이 그렇게 말했다.

[어디로 가려는지는 몰라도, 돌아오려면 제가 도움이 될 겁
니다.]
"어…… 네? 아니, 페이나 님은 신의 사도잖아요."
[당신 덕분에 이 임무는 초과 달성도 귀여운 수준입니다.
대지모신께서도 이 정도 일탈은 허용하시겠지요.]
"네?"
[제 능력은 본디 전투보다는 수호와 인도에 적합합니다. 후

회하지 않을 겁니다.]

뭔가 태클을 걸고 싶지만 지금 그를 옥죄는 저주가 그럴 시
간조차 없다는 것을 시시각각 그에게 알려 왔다.
어째선지 이 자리에 있던 다른 이들이 페이나를 죽어라 노
려보고 있었지만 그녀는 코웃음을 치며 메이벨의 반대편, 즉
에반의 다른 한 팔을 붙잡았다.

[그럼 갑시다. 당신이 이곳을 떠나지 않으면 기껏 구해 낸
이 세상이 파괴되겠어요.]
"가야지."

에반은 다른 이들을 돌아보았다.
이 세상에서 해 두어야 할 일이 아직 제법 있지만, 미리 다
른 이들에게 조금씩 얘기를 해 놓았으니 문제는 없을 터다.

"레오 할아버지, 리안한테 안부 전해 줘요."
"망할 놈이. 후딱 가기나 해라."

레오의 퉁명스러운 말에 재차 웃음이 났다.
그 외에도 직접 말을 나누고 싶은 이들이 많았지만, 이젠 정
말로 여유가 없었다.
에반은 두 여자와 함께 곧장 지금 이 장소에 열려 있는 균

열로 향했다.

이계의 균열이었다.

마신의 봉인과 함께 놈과 직접 연결된 모든 이계의 균열 또한 봉인되는 숙명을 맞이했지만, 아직 하나는 남아 있었다.

당연히 에반이 일부러 남겨 둔 것이었다.

"우와, 어쩐지 그럴 것 같다 생각은 했는데!"

"다른 세상에서 구해야 할 것이 있어서 어쩔 수 없어. ……겸사겸사 처리해야 할 것도 있고."

[당신과 함께 있으면 하여튼 지루할 일은 없군요.]

이계의 균열 앞에 선 에반은 마지막으로 돌아보며 무언가를 외치려다가, 급작스레 그의 숨통을 조이는 저주에 기겁하며 그대로 균열 너머로 넘어가고 말았다.

직후 일행 사이에서 번개같이 뛰쳐나온 세 개의 그림자가 에반과 두 여자의 뒤를 따라 균열 안으로 뛰어 들어갔다.

그리고 균열이 닫혔다.

고대의 대마도사가 신대에 행했다는 위대한 봉인.

중간계와 다른 모든 세상을 연결하는 통로를 봉인하는 작업이, 다소 변형되어 완료된 순간이었다.

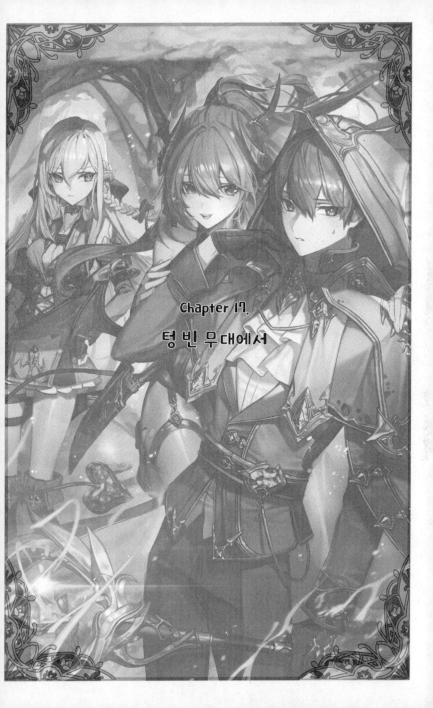

Chapter 17.

텅 빈 무대에서

에반이 사라졌다는 것을, 그 자리에 있던 이들은 당분간 사실로 받아들이지 못했다.

워낙 갑작스러웠기 때문이다.

하긴 갑작스러웠던 것은 마신과의 전투부터가 그랬다.

마족들은 마신의 강림을 서둘렀고, 그래서 일행도 미처 준비가 되지 않은 상태에서 전장에 내던져졌다.

용케 신들을 소환시킬 수는 있었지만 그들은 마족이나 조금 잡아 대다가 도망쳤다.

아마 신력이 다할 때까지 어디선가 날뛰다가 그대로 사라질 터였다.

"살아남은 마족들은 있나요?"

"일부가 마계 너머로 도망친 모양이네. 게이트는……."

게이트는 파괴되었다.

정확히는, 마신이 봉인되는 그 순간 지상과 다른 모든 차원을 잇는 문이 강제적으로 닫혔다.

그것은 그러한 봉인이었다.

즉 마족들 중에서 눈치가 좋은 놈들만 미리 마계로 튀었고, 눈치도 없고 재수도 없는 나머지는 이 땅에 남아 참살되었다.

"……고요해."

"마기도 일절 느껴지지 않아. 모조리 봉인된 탓이겠지만……."

그만한 격전이 벌어졌던 곳인데 지금은 아무런 일도 없었다는 듯이 고요했다.

마계뿐만 아니라 이계의 균열들까지 모두 닫히면서, 순수한 중간계의 기운만이 남은 탓이었다.

그때, 에반이 들어가고 사라진 게이트의 흔적만을 멍하니 바라보고 있던 미로엘이 문득 고개를 들었다.

"어머니께서……."

"어머니? 세계수를 말하는 건가요?"

"네, 어머니께서…… 일어나셨어요."

그럼 여태까진 누워 있었단 말인가.

레오가 눈치 없이 그렇게 물어보려던 찰나, 모두가 미로엘의 말뜻을 깨닫게 되었다.

—드디어!
—오랜 기다림이었어…… 하지만 이젠 뛰어놀아도 괜찮아!
—이 얼어붙은 땅에도 요정들이 있네, 하지만…… 으추, 추워라!

분명 지금 그들이 있는 곳은 얼음으로 가득한 영원빙하임에도 불구하고, 저 멀리 남쪽으로부터 불어온 훈풍이 그들의 뺨을 따스하게 간질였다.

바람 속에 섞인 정령의 목소리를 엘프라면 누구나가 들을 수 있었다.

"고대의 숲 안에서 보호받고 있던 정령들이…… 대륙 전역으로 퍼져 나가기 시작했어요."

"설마 이 영원빙하에도?"

"이곳은 아직 힘들지도 모르겠네요. 선천적으로 극한의 음기를 품고 있는 지역이고…… 이곳엔 원래 살고 있던 정령들이……."

말을 잇던 미로엘이 문득 눈을 가늘게 떴다.

주위를 휘휘 돌아보며 뭔가를 찾는 듯히던 미로엘이, 작게 미소 지으며 중얼거렸다.

"도망쳤구나. 어디로 어떻게 도망쳤는지는 알 수 없지만."
"도망……? 아니, 그러면 이제 어떻게 해야 되지?"

미로엘이 다른 이들에게 지금 상황을 해설해 줄 생각이 없다는 것을 알아차린 레오는 어깨를 으쓱이며 자신의 아내에게 시선을 돌렸다.

아리아는 그런 남편을 어처구니없다는 듯이 바라보았다.

"우리는 지금 이 세상의 손님이에요, 레오. 우리가 주체적으로 나서서 뭘 할 필요도 없고 그래서도 안 돼요. 우린 이제이 아티팩트를 활용해 셰…… 고향으로 돌아가는 일만 생각하면 된다고요."

"아니, 그래도 사람이 그러면 안 되지 않나. 마신이 봉인되고 이계의 균열이 닫혔어도 여전히 혼란스러운 세상이야. 적어도 이 친구들 자리는 잡아 주고 가야지."

레오가 그 말을 하며 사상자를 수습하고 있는 종족 연합군 무리를 가리켰다.

"자리는 무슨. 오만이에요, 레오. 이들은 충분히 강하다구요. 그러니 그냥 놔두고 가도……"

"저, 잠시만 기다려 주십시오."

아리아가 고개를 저으며 레오를 질타하던 그때.
종족 연합군의 면면이 서로 시선을 교환하는가 싶더니, 인간 중 대표를 자칭하는 이가 고개를 갸웃하며 대꾸했다.

"저희도 함께 갈 건데요?"
"함께? 어디로?"
"제로 님을 만나러 가시려는 거 아닙니까?"

레오가 대수롭지 않게 고개를 끄덕여 긍정했다.

"뭐, 그렇지."
"그렇다면 당연히 저희도 가야 하지 않겠습니까. 저희의 신은 그분뿐입니다."
"……."

지금 이게 뭐라는 건가.
전투를 하는 내내 에반을 부르짖는 것으로도 모자라 이젠 현대 셰어든에까지 따라오겠다고?

"안 돼요."

그때, 레오를 대신해 아리아가 단호하게 대꾸했다.

"당신들은 이 시대, 이 시간의 사람입니다. 질서를 어그러 트리는 것은 지금까지의 행적만으로 충분해요."
"그렇다면 더더욱 저희는 여러분을 따라가야 합니다."

그 말을 한 것은 그 누구도 아닌 마녀 샤레이였다.

"신님께서 베푸신 것들은 이 시대에 어울리지 않는 것들이 었으니까요. 그분께서는 처음 우리에게 능력을 전수하실 때, 아마도 마족들과의 전투로 저희가 소모될 것을 예상하고 계 셨을 겁니다. 하지만……."
"아……."

실상 대부분의 전투는 강자들만이 치렀고, 심지어 전투 초 기에 신들이 나서서 마족들을 중점적으로 쓸어버린 탓에 종 족 연합군은 상대적으로 안전한 환경에서 전투를 치를 수 있 었다.
물론 그럼에도 불구하고 사상자가 나왔다는 점이 역으로 이 전투의 험난함을 증명하고 있었지만, 그래도 에반이 처음 예상했던 것과는 구도가 상당히 달라진 것이 사실이었다.

"으으음……."

아리아는 잠시 생각에 빠졌다.

지금 눈앞에 있는 종족 연합군. 이들은 물론 아리아나 레오에 비하면 약하지만, 그럼에도 전원이 드래곤의 무구로 무장한 그들을 그냥 풀어놓으면 이 세상의 주축 세력이 되리라는 점 또한 명확했다.

이 자리에서 이들을 죽여 버릴 것이 아니라면, 정말로 미래로 데려가는 것이 가장 나은 선택이 될지 몰랐다.

"물론 모두가 남을 생각은 없습니다. 지원을 받을 생각이지요."

"암, 이 세상에 남아 그분의 교리를 퍼트리는 것 또한 중요한 일이 아니겠나."

"신님을 직접 수행하느냐, 이곳에 남아 그분을 전파하느냐…… 어느 쪽이든 무척 중요한 임무로군!"

"우리 땅 요정들은 모두 그분을 따라갈 걸세. 그분 곁이 아니면 어디 이만한 소재를 또 다루겠나."

"아니 이 땅에도 아직 신비가 숨겨져 있을지 모르지 않나!"

"그, 그렇다면 우리 숲 요정들도……."

"얘는! 우리는 어머니를 지켜야지!"

"하, 하지만 그분은 숲의 왕이시니까 그분도 지켜 드려야 하지 않을까!?"

종족 연합군이 시끄럽게 떠들며 잔류조와 원정조를 나누기 시작했다.

그러나 엘프의 대표인 미로엘이 숲 요정은 모두 숲에서 세계수와 함께 살아가야 한다고 선언함에 따라 엘프들 대다수가 절망하여 그 자리에 엎드렸다.

"여왕님, 못 따라가셨다고 괜히 뿔나서 저러시는 거 아냐?"

"여왕님은 차였지만 아직 우리는 차였는지 안 차였는지 모르잖아?"

"풋, 소박맞으셨네."

"……지금 뭐라고 했죠?"

에반을 그대로 보내 줘야 했던 탓에 마음이 몹시 좋지 않았던 미로엘은 일시적으로 스트레스를 풀 수 있는 대상을 찾았다.

아리아는 순식간에 시끄러워지는 현장을, 어딘가 멀리 있는 것을 보듯이 바라보며 한숨을 내쉬었다.

아주 자연스럽게 말도 안 되는 짓거리를 벌이는 부분이 그들이 따르는 에반을 무척이나 닮았다는 생각이 들었다.

그러다 여전히 자신을 가만히 바라보고 있는 샤레이와 눈이 마주친 아리아가 설마, 하고 말했다.

"……아니, 샤레이. 설마 당신도 우릴 따라오겠다는 말인가요?"

"그게, 저는."

샤레이는 마신을 봉인하는 역할을 맡았던 두 명의 마녀 중한 명.

그런 그녀가 무책임하게 현대로 따라오겠다고? 아리아는 그런 생각에 의아해했지만, 사정은 무척 간단했다.

"저는 저 자신을 그곳에 묶어 놓았습니다."

"그곳…… 설마 이 목걸이를 말하는 건가요?"

"예, 네클레스 월드입니다."

감히 인간의 몸으로 마신을 봉인할 수 있는 힘을 얻기 위해 이 정도 제약은 당연한 것이었다.

그 제약이 완벽하게 풀리기 위해선 마신을 죽여야만 했다. 그때까지 샤레이는 브이라슬의 목걸이 곁에서 벗어날 수도, 마도를 구사할 수도 없었다.

"……당신, 설마."

그러나 아리아는 그녀에게서 의심스러운 시선을 거두지 못했다.

"어떻게든 에…… 제로와 함께하기 위해 일부러 스스로를 목걸이에 묶어 둔 것은 아니겠지요?"

샤레이는 거기에 대꾸하지 않고 작게 웃을 따름이었다.

뭐 이런 녀석이 다 있나, 에반이 있었다면 기겁했으리라.

"봉인에는 문제가 없을 거예요. 그렇지, 아르파?"

"그래. 쳇. 나도 이럴 줄 알았으면 목걸이에 묶는 건데……."

"누군가 한 명은 남아야 했잖아. 미안해, 아르파."

"흥, 어차피 난 처음부터 신 오빠한테 마음 없었으니까 괜찮아."

"정말?"

"……친오빠였으면 좋겠다고 생각하긴 했지만 그뿐이야!"

아리아는 둘의 대화를 듣고 고개를 갸웃했다.

둘 다 스스로에게 제약을 걸어, 마신전에 한정해 인간을 초월한 마도를 행사할 수 있게 되었다.

그런데…… 샤레이는 한낱 목걸이 속 세상에 자신의 존재를 묶는다는 초강수를 둔 덕에 그게 가능해졌다 치고, 그렇게 하지 않은 아르파는 무엇을 대가로 내걸은 것일까?

그러나 그녀의 시선을 알아차린 아르파는 흥, 코웃음을 치며 대꾸했다.

"왜 그렇게 보세요? 안 가르쳐 줄 거예요. 신 오빠한테도 안 가르쳐 줬는걸."

"……가만. 당신, 설마."

무언가를 알아차린 아리아가 입을 딱 벌렸다.

하지만 지금 그것을 아르파에게 말해도 아무런 의미가 없기에, 그녀는 그저 홀로 경악을 삼킬 따름이었다.

"아, 좋은 거 주웠다. 나즈?"

"……응."

그때. 아리아의 시선을 피하듯이 괜히 에반이 사라진 자리를 문대던 아르파가 바닥에서 뭔가를 주워 나즈의 이름을 불렀다.

나즈, 마녀 세 자매의 막내로, 유일하게 제약 마법을 익히지 않은 아이.

그녀는 마신을 직접 상대하는 것도 봉인에 한 손을 거드는 것도 불가능했고, 이 전장에서는 마족들과 싸우는 이들을 서포트하는 데 주력했다.

마신을 상대할 수는 없다고 해도 그녀 역시 대량의 드래곤을 잡아 막대한 레벨 업을 거친 것은 마찬가지였기에, 그녀가 구해 낸 목숨의 숫자는 이루 헤아릴 수 없는 수준이었다.

"이건 아무래도 네가 가져야 할 것 같아."

"언니가 웬일로 양보를…… 아."

아르파에게서 물건을 받아 든 나즈가 두 눈을 동그랗게 떴다.

그것은 평소 에반이 착용하고 있던 장갑의 파편이었다.

마신과의 전투에서 고유 무장으로 강화하여 있는 힘껏 격돌했던 그때, 장갑이 품고 있던 신력이 비로소 한계를 맞이하여 찢겨 나간 것.

하지만 그것은 당연한 일이었다.

에반과 마신의 전투는 동등한 신격의 대결이었다.

그 와중에 장갑의 룬을 고유 무장에 편입시킨 것은 다른 신들의 신성을 거기에 마구 섞은 것이나 마찬가지이니, 장갑이 온전히 남아 있을 수는 없었던 것이다.

"제로 님…… 이게 없어도, 괜찮을까?"

"그럼 지금부터 네가 이걸 연구해. 너의 후손들이 이 문자의 힘으로 신 오빠를 도울 수 있게끔."

아르파의 말에 나즈가 두 눈을 깜박거렸다.

"나의 후손?"

"당연한 거 아냐? 샤레이는 저기 묶였고."

아르파의 손짓을 받은 샤레이가 볼을 살짝 붉히며 고개를 돌렸다.

에반 외의 다른 남자는 싫다는 뜻을 은근히 드러내고 있었다.

"나는 앞으로 당분간 이 꼴이고."

그러니까 그 꼴이 정확히 무슨 꼴인데?
그 대화를 듣고 있던 누구나가 그렇게 생각했지만 결국 묻지 못했다.

"그러니 우리 피를 남길 수 있는 건 너뿐이네."
"응, 웃, 하지만."
"부탁해. 할 수 있지?"
"……윽, ㅇㅇㅇㅇ윽."

나즈는 끝내 올 것 같은 표정으로 고개를 끄덕였다.
그러자 아르파는 한결 안심한 듯, 여동생의 이마에 쪽, 새가 모이를 쪼듯 가벼운 입맞춤을 하고 떨어져 나왔다.

"좋아, 그럼 전 먼저 가 볼게요."
"어디로?"

샤레이의 물음에 아르파는 장난스러운 미소를 지으며 대꾸했다.

"으으음, 일단 숨어 보려고."

그리고 뭔가 생각하더니 덧붙였다.

"그래도 아마 마신이 부활할 때쯤엔 돌아올 거야. 그때 봐,
샤레이…… 언니."
"아르파!"

그 말과 함께, 그녀는 그 자리에서 마법같이 사라졌다.
마법이 맞을 것이다.

"……마도를 못 쓰던 게 아니었나요?"
"저 아이가 건 제약은 조금 달랐으니까요. 물론 적을 공격
하는 마도는 여전히 구사하지 못하지만, 그 외의 마도는 분야
에 따라 사용 가능해요."

그것은 아마도, 이 세상에 남아야 하는 자기 자신을 지키기
위해서.
그것을 듣고서야 아리아는 이 마녀들이 실은 그 제약 마법
이라는 것에 큰 자신감이 없었음을 알게 되었다.
여러 가지 조건을 머리 빠져라 생각하고, 두 사람이 각각 다
른 제약을 걸어 최악의 경우에라도 한 명은 에반을 보조할 수
있도록 했다.
그 결과 마신을 성공적으로 봉인할 수 있었고, 두 사람은 봉
인의 책임을 나누어 지게 되었으며, 서로 다른 곳으로 향하게

되었다.

"허. 정말 알 수 없는 매력이 있는 아이로구만. 그런데 어디서 본 것 같지 않아, 아리아?"
"매력이 뭐가 어떻다고요?"
"아니 내 말은 지금 그 말이 아니지 않나!"

마지막 순간 동물적인 감각으로 뭔가 이상함을 느끼고 아리아에게 묻는 레오, 그런 레오를 도끼눈으로 째려보며 질문 자체를 무산시키는 아리아.
나즈와 샤레이는 아르파가 떠나간 자리를 가만히 보고 있다가는, 이내 서로를 마주 보며 쓸쓸하게 웃었다.
직후. 나즈는 자신의 손에 쥔 장갑의 파편을 품에 숨겼고, 샤레이는 나직이 혀를 찼다.

✸✸✸

미로엘은 숲 요정들을 수습했다.
사망자의 숫자는 두 손으로 셀 수 있을 정도였고, 부상자는 돌아가 어머니의 곁에서 휴식을 취하면 시간은 걸려도 언젠가 나을 터였다.

"우리보나 먼저 어머니 곁으로 돌아간 형제자매를 위해 잠시 노래를 부르죠."

"네, 여왕님."

숲 요정들이 부르는 노랫소리에 바삐 움직이던 종족 연합
군도 동작을 가만히 멈추고, 그들의 운율에 맞추어 함께 노래
를 불렀다.

마신이 이 땅에 강림했음을 감안한다면 희생자의 규모는
분명 작다고 할 수 있었지만, 그렇기에 더 눈에 띄고 가슴 아
팠다.

숲 요정들에 이어 땅 요정들이, 그리고 인간들이, 거기서
무슨 흥을 느낀 것인지 서큐버스들까지 끼어 노래를 불렀다.

죽은 자들을 위한 노래는 영원빙하의 대지 위에서도 한동
안 뜨겁게 진동하며 울려 퍼졌다.

[좋은 문화인 것 같아.]

[근사해.]

[카틀레야 님도 한 소절…… 어라?]

그리고 그 맹한 것들은 그제야 전장에 카틀레야의 모습이
보이지 않는다는 사실을 깨달았다.

[카틀레야 님이 어디로 가셨지?]

[우리가 지켜 드리고 있었는데.]

[마신에게 흡수당하신 거 아냐?]
[재수 없는 소리 하지 마!]

그러던 중 서큐버스 한 명이 한숨을 내쉬며 정답을 내놓았다.

[카틀레야 님이라면 냥이들을 데리고 제로 님 뒤를 쫓아
갔어.]
　[헐, 그 짧은 순간에?]
　[미친…… 천재 아냐?]
　[와, 카틀레야 님도 여자가 다 되셨네.]
　[나는 왜 그럴 생각을 못 했지?]
　[힝, 냥이들은 남겨 주시지.]

　그 얘기는 미로엘의 귓가에도 들어갔다.
　철수 준비를 하던 그녀는 그 말을 듣고 입술을 지그시 깨물
었다.
　하다못해 마족도 그의 뒤를 쫓아갔는데 나는!
　어째서 이곳에 홀로 남아 그를 기다리고 있어야 한단 말인가!
　물론 세계수의 딸인 그녀가 잠시라도 이 세상을 비울 수 있
을 리 없지만, 그것은 사실이지만!

“미, 미로엘 님, 힘내세요.”
“분명 머지않아 돌아오실 거예요.”

"우린 그때까지 같이 제로 님을 기다려요!"

"쿠으으으......!"

엘프들의 말은 위로가 되지만 안심할 수는 없다.

같이 기다리자니 무슨 이유로? 이것들도 다 잠재적인 적이었다!

레오는 그런 미로엘의 모습을 보고 킥킥 웃으며 중얼거렸다.

"하여간 그 녀석은 떠난 자리까지 요란하구만."

"뭘 하든 일단 여기서 나가서 생각하죠. 추워 죽겠네요. 자, 다들 여기로 모여요."

전장의 수습이 완벽하게 끝나자, 아리아는 모든 인원을 한자리에 불러 모으고는 마법을 발현했다.

한순간 빛이 반짝이더니…… 정신을 차렸을 때 그들은 모두 고대의 숲으로 돌아와 있었다.

"어머니!"

미로엘이 울상이 된 채 뛰쳐나갔다. 아무래도 세계수에게 위로라도 받으려는 모양이었다.

하지만 지금 그 세계수는 모처럼 외부 세계의 영향력으로부터 자유로워진 중간계를 보듬느라 정신이 없는 상태.

하물며 그들이 외부로 나가 마신과 요마왕이 이끄는 마족 군과 싸우는 사이, 텅 빈 숲을 노리고 대륙 각지에서 모인 몬스터들도 있었다.

물론 그 대부분은 세계수가 되살린 정령용이 알아서 격퇴해 주고 있었지만, 그것을 본 미로엘은 쉴 틈도 없이 다시 눈이 돌아가 외쳤다.

"큭…… 아직 전투가 끝나지 않았어요. 숲 요정들은 모두 활을 들어요!"

"어머니가 세계를 보듬어 주시는데, 그 은혜도 모르고 덤벼들다니!"

"우리도 도와주지!"

"위대하신 신의 이름으로!"

[하여간 미련한 짐승들, 포기를 모르고 덤벼드네!]

함께 마신을 이겨 내는 과정에서—물론 대부분 에반을 지켜보기만 했을 뿐이지만—사이가 더욱 끈끈해진 종족 연합군이 분기탱천하여 무기를 치켜드니, 정령용 하나도 이겨 내지 못해 숲의 심부에 발을 들이지 못하고 있던 몬스터들은 짧은 시간 안에 격퇴되었다.

"후, 이제야 숲이 조금 조용해지겠구만."

"정리까지 끝났으니, 이제 서둘러 연구를 시작해야겠어요."

아리아는 므이라슬의 목걸이를 들고 중얼거리다, 문득 멍한 표정을 짓고 있는 에이르와 시선이 마주쳤다.

그녀는 엘리자베스가 마신에게 흡수된 이후로 계속 가만히 서 있을 뿐이었다.

에반도 떠나기 전 그녀에게 인사를 한 것 같았지만, 그것조차 눈치채지 못할 정도였다.

"로즈, 아이의 상태는 어떤가요?"

"위험해."

로즈가 툴툴거리며 대꾸했다.

"마신이 의도한 거라면 그건 천재야. 내가 옆에 없었으면 마족의 피가 폭주했을지도 몰라."

"편한 곳에서 쉬어야겠어요. 먼저 이 안으로 들여보내는 건 어떨까요. 우리 아들도 말 상대를 해 줄 수 있을 거랍니다."

"너희가 아들을 낳았어? 저 앞뒤 분간 못 하고 날뛰기만 할 줄 아는 짐승이 아이를 낳았다고?"

한때 자신을 죽이는 데 큰 역할을 했던 버나드에 대해 죽이든지 같이 살든지 둘 중 하나라는 식의 극단적인 감정을 갖고 있었던 로즈는, 그러나 자신을 죽인 또 하나의 축이었던 레오에 대해서는 일관되게 혐오의 감정을 유지하고 있었다.

그러나 아리아는 장미 여왕의 증오와 분노를 코웃음으로
받아넘기며 대꾸했다.

"어머나, 그렇게 잘 날뛰니까 애도 잘 만들지요."
"흥! 그 아이도 저 남자처럼 시끄러운 놈이 아니길 바란다.
아가, 우리 들어가서 쉴까?"
"응……."

에이르는 생기 없이 대꾸하며 아리아가 열어 준 네클레스
월드의 문 안으로 들어갔다.
그 안에는 모두가 결전을 치르는 사이 혼자 남겨져, 심심한
나머지 에반이 가르쳐 준 수련을 반복 시행할 뿐이던 리안이
있었다.

"와아, 예쁜 누나다!"
"쓥, 아가. 돌아가자."
"……."

검을 휘두르던 조그맣고 귀여운 아이, 리안이 에이르를 보자
마자 내뱉는 소리에 급격히 불안해진 로즈가 에이르의 어깨를
붙잡으며 잽싸게 말했으나 에이르는 조금 생각이 달랐다.
어둠과 죽음, 피와 그림자만 있던 전장에서 돌아와 그것과는
조금도 관련이 없어 보이는 보송보송한 어린아이와 마주하게

되니 아주 조금이지만 긍정적인 생기가 눈에 깃든 것이다.

"안녕, 누나? 난 리안이야! 누난 이름이 뭐야? 형아랑 아는
사이야?"

"에이르."

"이름도 예쁘다!"

"아가, 돌아가자. 이 녀석에게선 그 짜증 나는 남자의 냄새
가 너무 짙게 나는구나!"

이러다 자칫 돌이킬 수 없는 지경에 이를지도 모른다는 불
안감에 빠져 에이르를 재촉하는 로즈.

그러나 에이르는 로즈의 말을 상큼하게 씹고, 조심스럽게
아이에게 다가갔다.

본래 리안은 그녀와 나이 차이가 얼마 나지 않는다.

하지만 그녀는 마계에 들어가, 탑을 정복하는 과정에서 완
연한 어른의 몸을 갖게 되었다.

어쩌면 그것은 자신이 잃어버린 것에 대한 동경, 혹은 그리
움이었다.

다만 눈앞에서 그 아이가 생기 있게 웃고 있는 모습이 그녀
에게는 적잖은 위안이 되었다.

"누나, 어디 아파?"

"응……."

"그럼 내가 호 해 줄게!"

그 어린 얼굴에 굳센 의지를 품고 다가온 리안이, 어디가 아픈지도 모르는 주제에 귀엽게 후후 입김을 불어 대는 모습에 에이르는 끝내 입가에 미약한 미소를 띠었다.

그것을 본 리안도 마주 웃었다.

사정을 모르는 이가 본다면 나이 차이가 열 살 이상 나는 남매가 소꿉장난이라도 하는 것으로 보이겠지만, 에이르의 진짜 나이를 알고 있는 로즈에게는 위태위태하기 그지없는 광경이었다.

"그건 안 돼…… 우리 아가는 최소한 에반 꼬맹이 정도는 되는 남자와 맺어져야 해. 하지만 그 꼬맹이는 여자가 너무 많아서 불안하니까 다른 여자가 안 꼬이는 놈으로……."

로즈는 자신의 불안감이 현실화되지 않기를 바라는 마음에 간절히 기도했다.

그러고 보니 그녀가 본디 기도해야 할 대상은 아까 에반이 봉인해 버리고 없었다.

대륙은 이제 막 마신을 이겨 냈을 뿐이고, 강림의 어파는 미처 가시지 않았다.

마신이 중간계에 나타나 호흡한 것만으로 세상의 일부는 뒤틀렸고, 지금도 어디선가에서 마신의 기운을 받아들인 강력한 몬스터가 나타나고 있었다.

종족 연합군은 그것을 처리하는 일이야말로 제로가 자신들에게 내린 임무라고 믿고, 세계수의 지원을 받아 바쁘게 움직였다.

조금 매정해 보일 수도 있지만 레오와 아리아는 거기에 일절 손을 거들지 않았다.

대신 돌아가는 방법을 연구하는 데에 매진했다.

"그래서 좀 어떤가, 언제쯤 돌아갈 수 있겠어?"

"까다롭네요. 에반이 마지막 순간 제게도 권한을 허용해 주긴 했는데, 본래 제 물건이 아니라서 분석이 더 힘든 것도 있고요."

"그래도 지금이라면 할 수 있는 것 아닌가?"

레오가 아무렇지 않게 흘린 말에 아리아는 작게 웃어 보였다.

"암요. 신의 파편을 얻었는걸요."

"마누라는 운도 좋아. 나도 어디 그런 거 안 떨어지나."

"으흠!"

"응?"

레오가 투덜거리던 찰나 뒤에서 헛기침 소리가 들렸다. 그가 돌아보자 그곳에 한 명의 드워프가 서 있는 것이 보였다.

"에이하모라고 했던가?"
"맞소. 당신도 이제 슬슬 준비하시오."
"뭐를?"
"고유 무장 말이오, 고유 무장."

레오는 잠시 아무 말도 없다가, 벌떡 일어서며 소리 질렀다.

"아니 그걸 만들 수 있단 말인가!"
"대신 각지에서 재료를 모아 와야 할 거요. 어떻소."
"아하."

아리아가 기막혀하고, 레오는 깨달음을 얻었다.

"고유 무장을 만들어 주는 대신 용병으로 뛰란 말이지?"
"괜찮은 거래라고 생각하오만."
"당연히 해야지!"
"이이도 참…… 어쩔 수 없네요. 다녀와요."
"고유 무장!"

고유 무장을 얻었던 에반이 어떻게 자신의 무구들을 강하하고 얼마나 압도적으로 마신을 밀어붙였는지 기억하는 레오는 잔뜩 신이 나서는 뛰쳐나갔다.

머릿속으로는 이미 500미터 이상 길이로 늘어난 대검을 기세 좋게 휘두르는 자신의 모습을 그리고 있었다.

홀로 남은 아리아는 그것을 보며 한숨을 내쉬다가도 작게 웃음을 터트리고 말았다.

"언제까지고 애라니까."

그들은 투쟁했다.
신이 약속한 번영과 평화를 손에 넣기 위해.
자신들의 손으로 미래를 움켜쥐기 위해.
보다 나은 내일, 인류에게 희망이 깃드는 내일을 찾기 위해.

─쿠아아아아아아아!
"조금만 더 힘내라, 폴!"
"그래! 난 할 수 있다, 조오지이이이이이이이이!"
"스티브, 물러서지 마라!"
"나를 믿어라, 조오오지이이이이!"

그리고, 처절한 투쟁 끝에.

그들은 비로소 던전의 보스를 쓰러트리는 데에 성공했다.

"잡았다······."
"잡았다! 우리가 해냈어!"

대지모신께서 이르시길, 이 던전을 공략한 끝에 인류를 번
영시킬 수 있는 보물이 기다리고 있을 것이라 하셨으니.

자칭 인류 최강의 전사들을 이끌고 던전을 정복한 조지는
부푼 가슴을 안고 보스의 시체 너머로 나아갔다.

그러자 정말 그곳에 있었다.

굉장한 솜씨로 깎은 아름다운 여신의 조각상을 중심으로,
인간은 감히 만들 엄두도 내지 못할 위대한 아티팩트들······.

썩지 않는 식량과 종자.

드래곤의 비늘로 만들기라도 한 것처럼 단단하고 아름다운
무구들!

"이, 이럴 수가."
"이 조각상을 봐. 혹시 대지모신이신가? 꼭 드워프들이 조
각한 것처럼 아름답지 않은가!"
"오오오오······. 이 아티팩트들, 마치 요정의 숨결이 느껴지
는 듯해. 어떻게 이 던전에 이런 보물들이!"
"그으윽······!"

조지는 맹렬히 감동했다.

자신에게 대지모신의 뜻을 전하며 인류의 번영을 약속하던 사도의 아름다운 얼굴이 눈앞에 아른거리는 듯했다.

"페이나 님, 감사합니다……! 우리는 반드시 이 땅에서 번영할 것입니다! 대지모신과 함께! 그리고 언젠가 당신을 맞이하러 가겠습니다!"

뭐, 그렇게까지 지원해 줬는데 번영을 못 하면 나가 죽어야지.

에반이 그 자리에 있었다면 그렇게 말했겠지만, 참으로 다행하게도 그는 지금 다른 세계를 유랑하고 있었기에 이 장렬한 촌극을 볼 수 없었다.

마신이 한낱 필멸자의 손에 의해 산산이 나뉘어 봉인당하고 조금의 시간이 흘렀다.

마족군을 상대할 목적으로 소환된 신들은 그러나 소환 당시부터 힘을 제약당했고, 전장에서 빠른 퇴각을 한 후 자신의 신도가 되어 줄 존재를 찾아 세상을 잠시 방랑하다가, 결국 지상에 최저한의 힘만을 뿌려 두고 신계로 귀환하는 신세가 되었다.

[우리가 이대로 돌아가도 되는 것인가? 그 마신의 기운이 완벽히 사라지지도 않았는데…….]

[새로이 신격을 얻은 그자의 능력으로도 역부족이었던 것이겠지.]

[아니다. 지금의 이 세상이 마신을 견디지 못하는 것이야.]

[어쨌든 우리에게 남은 힘도 얼마 없어. 지금은 물러나는 수밖에 없네.]

[하지만 힘을 비축하려 해도…….]

[신도를 확보하지 못했으니.]

마신을 보자마자 냅다 줄행랑을 친 주제에 신들은 괜히 마신을 걱정하는 척을 한 번씩 하다가도, 결국 처음의 화제로 돌아와 저마다 한숨을 내쉬었다.

[이대론 안 돼.]

[지상에 우리의 힘을 퍼트릴 수단이 필요해.]

[이미 할 수 있는 최선은 했네. 부디 신도가 순탄히 늘어 주기를 기도할 뿐이지.]

[하지만 명백히 많은 신도를 확보해 놓은 이가 한 명 있지 않은가.]

[정작 자신은 강림하지 않았으면서 말이다.]

[지금쯤 위에서 우리를 비웃고 있겠군. 대지모신…….]

사도인 페이나가 다소 지나치게 유능했던 탓에 지상에 대지모신의 영향력이 크게 퍼졌고, 에반의 계략 탓에 그럴 기회를 놓친 많은 신들은 대지모신을 원망하고 있었다.

　대지모신이 이번에 직접 강림하지 못했던 것 또한, 생각보다 지상에 대지모신의 영향력이 크게 퍼지고 있었던 탓에 다른 신들이 강림할 권리를 양보하라며 그녀를 압박했기 때문이었다.

　하지만 결과적으로 보면 그 덕에 대지모신은 마신을 상대로 굴욕을 당하지도 않았고, 쓸데없이 힘을 소모하지도 않고 많은 신도들이 생겨날 발판을 다진 셈이었으니 이번에 가장 크게 이득을 보았다고 할 수 있었다.

　[이 대가는 나중에 언젠가 치러야 할 것이다.]

　[그래. 차후 마신으로 인해 중간계에는 다시금 커다란 문제가 생기게 될 터, 그때가 오면 그녀가 그것을 맡아야만 하겠지.]

　[어차피 중간계에 그 여자의 신도가 가장 많아질 것 같으니.]

　그들은 이를 악물고 한마디씩 내뱉으며 승천했다.

　그렇게 한때 이 땅을 가득 채웠던 신적 존재들이, 세계수 하나만을 남기고 모조리 중간계에서 모습을 지우게 되었다.

　중간계는 안정을 얻었고, 그 위에 조미료처럼 뿌려진 신들의 기운으로 인류는 여러 방향으로 발전할 가능성을 얻었다.

　그리고 그중에는…….

✤ ✤ ✤

한편 지상에 남겨진 이들은 여전히 바쁘게 움직이고 있었다.

가장 중요한 것은 마족군의 잔존 세력.

고유 무장을 얻어 내고야 말겠다는 각오로 두 눈을 반짝이는 레오가 진두지휘하는 종족 연합군은 세계수의 숲으로부터 시작하여 전 대륙을 샅샅이 훑다시피 하며 마족들을 처리하고, 겸사겸사 인간들을 구해 주기도 했다.

그리고 그 작업도 어느 정도 정리가 되었을 때, 비로소 종족 연합군은 완전한 해산의 순간을 맞이하게 되었다.

엘프들은 물론 처음부터 줄곧 말했던 대로 세계수의 곁에 머무르게 되었고, 드워프들과 인간들은 처음부터 주장했던 대로 대다수가 셰어든으로 따라오고 극히 일부만이 이 세상에 남게 되었다.

"제로 님의 교리를 온 세상에 퍼트리도록 해!"

"우리 땅 요정들의 기술을 잊지 않도록 노력해야 할 거야."

마녀 세 자매의 막내, 나즈 역시 이들과 함께 떠나게 되었다.

샤레이는 동생을 껴안아 주곤 나지막이 말했다.

"좋은 남자를 만나렴. ……가능하면 많이 만나렴."

"언니 미워. 아르파 언니랑 똑같이 미워. ……실은 더 미워."

어째서 더 밉다고 하는 것인지 샤레이는 나즈의 마음을 충분히 짐작하고도 남았다.

그런 그녀에게 이런 부탁을 하는 게 염치없다고 생각하면서도 샤레이는 솔직히 부탁했다.

"신님이 이 세상으로 돌아오셨을 때, 그분을 도울 방책을 마련해 줘. 부탁이야."

"……응. 저주의 발현을 늦춰지게 하는 것…… 마신을 상대하는 것…… 여러 가지로 생각해 볼게. 아마, 아르파 언니도 준비하고 있겠지만."

"부탁해, 나즈."

"맡겨 줘, 언니."

나즈는 붉은 눈으로 뚝뚝 눈물을 떨어트리면서도 언니에게 이별을 고하고 떨어졌다.

샤레이는 잔류조와 섞여 숲에서 떠나가는 동생의 뒷모습에서 한참 동안 눈을 떼지 못했다.

그녀를 위로해 줄 생각이었는지 레오가 언제나처럼 헛소리를 했다.

"저 얼굴이면 세상 모든 남자가 노예 노릇이라도 마다하지 않고 모시려 할 테니 너무 걱정하지 마라."

"저 얼굴이 무슨 얼굴인데요, 레오?"

"어허이, 그냥 덕담도 못 하나?"

샤레이는 이제 슬슬 익숙해진 부부의 만담을 한 귀로 흘리며 조용히 중얼거렸다.

"나즈도 신님을 마음에 품었던 것 같은데, 이런 부탁을 해야만 하는 게 정말 미안하네요……."

에반이 자신을 대하는 태도를 깨닫고 애초에 그에게 마음을 품지 않았던 아르파와는 달리 나즈는 셋 중 가장 어렸던 탓에 감정의 조절이 되지 않는 모습을 종종 보이곤 했다.

그렇기에 에반에게 마지막에 그렇게 투정을 부릴 수도 있었던 것이다.

"하지만 쟨 무리였겠지."

"무리였겠죠."

그러나 나즈가 지나치게 벨루아와 닮았다는 사실을 알고 있는 레오와 아리아는 씁쓸하게 웃으면서도 그렇게 단언했다.

"그렇게 생각하면 그 아이가 마녀의 피를 가장 싫세 이은 셈이 되려나요. 어쩐지 잠재력이 말도 안 되는 수준이더라니."

"또 모르지. 끝까지 포기하지 못한 그 아이가 현대에 되살아나 에반을 찾아온 것일지도."

"어머, 로맨틱해라."

"무서우라고 한 얘기였는데."

"당신하곤 이래서 감동적인 얘기를 못 해."

땅 요정 제일의 대장장이이자 고유 무장을 탄생시킨 남자, 에이하모는 당연하다는 듯이 셰어든으로 가는 조에 합류했다.

그리고 그가 이 땅에서 마지막으로 맡은 일은, 바로 레오에게 고유 무장을 마련해 주는 일이었다.

"허어어어어, 이것이!"

"으음, 어찌 보면 은인의 고유 무장과도 비슷해 보이는데……."

"아니, 다르다!"

물론 멸천력으로 개념의 힘으로 승화시킨 에반의 고유 무장에 비하면 조금 부족했지만, 세상 모든 고유 무장과 마투 무장이 에반의 것에 비하면 처질 테니 그런 비교는 무의미했다.

당연하지만, 그의 고유 무장은 검이었다.

"나의 영혼은 검으로 이루어져 있다……."

"왠지 이상한 기분이 드니 그 유치한 주문은 그만둬요."

에반의 것과 마찬가지로 딱히 뚜렷한 형태는 없지만 그것은 만검의 주인인 레오에게 걸맞은 무구였다.
그의 고유 무장은 모든 것을 검으로 만드는 것이었다.
그 안에는 그 자신의 몸 또한 포함되었다.

"허허헛! 최후의 검이란 바로 나 자신이 검이 되는 것이지!"
"그것도 그만둬요."

레오는 허공에 강하게 주먹을 내지르며 순간 팔을 통째로 거검으로 변환시켰다.
전방에 끔찍한 예기가 집중되며 공기가 절단되는 소리가 났다.
그는 이어서 팔꿈치에서 날이 솟아나게 하거나, 다섯 손가락을 각기 작은 칼날로 만들어 휘둘러 보거나 하며 즐거워했다.
정해진 형태 따윈 없는 막무가내의 몸놀림으로 보였으나, 레오는 만검의 주인.
어떤 사소한 움직임이든 치명적인 타격이 되어 적에게 죽음을 선사해 줄 수 있을 터였다.

"이거였다면 마신을 상대로도 제법 잘 싸울 수 있었는데……."

"그냥 대검만 들고도 제법 잘 싸웠어요, 여보."

"제자 놈보단 처졌잖아!"

"그건 지금도 마찬가지일걸요."

아리아는 언제까지고 철이 들지 않는 남편의 모습에 한숨을 내쉬며…… 그런 남편에게 정이 떨어지지 않는 자신도 역시 이상한 것이 아닐까 속으로만 고민하고는, 입을 열어 말했다.

"그럼 이제 돌아갈까요."

"연구가 끝난 건가?"

"얼마 전에요. 샤레이의 도움을 받았네요."

아리아가 셰어든으로 향하는 게이트를 열 수 있겠다고 자신하게 된 것은 마신을 봉인하고 무려 반년이 흐른 시점에서였다.

물론 그 시간 동안 레오와 종족 연합군이 활발하게 활동하며 마족군의 잔재를 쓸어 내고, 고유 무장까지 만들 수 있었던 것을 감안하면 결코 길었던 시간은 아니었다.

"리안, 준비는 됐냐?"

"응! 우리 가면 형아도 오는 거지?"

"……!"

리안과 에이르는 손을 꼭 잡고 있었다. 요즘은 계속 이런 느낌이었다.

반년이라는 시간 동안 둘은 완전히 사이가 좋아져 있었는데, 아직 둘 모두 나이가 어렸기에 서두르기는 뭐하지만 나중에 둘이 잘되면 좋을 것 같다고 레오는 생각했다.

"안 돼! 싫어! 네놈의 아들은 싫단 말이다!"

그의 시선에 담긴 뜻을 알아차린 로즈는 질색을 하며 외쳤다.

"이 요물은 이제 사람의 마음도 읽는구만. 아니 내 아들이 뭐가 어때서 그러냐! 에반 놈이 그렇게 최고의 재능이라고 입에 침이 마르도록 칭찬을 했는데."

"어쨌든 나와 버나드의 사랑의 결실을 네놈의 자식에게 넘길 수는 없어!"

"어느새 버나드와 일로인의 아이를 완전히 자신의 아이라고 생각하게 되었네요⋯⋯."

그나저나, 하고 아리아도 생각했다.

"나와 레오의 아들이, 버나드와 일로인의 딸과 결혼이라니. 상상만 해도 흐뭇하네요."

"주례는 에반 놈 시키자고."

"쿡쿡, 재밌겠어요."
"아아아아아안돼애애에에에! 절대로! 허락 못 해!"

아리아는 펄펄 뛰는 로즈와, 그런 그녀의 반응에 더 신이 나
서는 자식의 결혼 계획을 논하는 남편의 모습을 보며 흐뭇하
게 웃었다.

그런 다음 순간, 그녀의 표정이 진지해졌다.

"그러기 위해서라도 마신을 완벽히 처리해야겠죠."
"당연하지. 돌아가면 아마 곧이겠지?"
"물론 에반이라면 우리가 걱정할 필요도 없겠지만, 그렇다
고 그 아이에게만 모두 맡겨 두어서는 안 되니까요."

하지만 에반이라면 이런 생각을 하고 있는 그들을 비웃듯
이 깔끔하게, 그들에겐 기회도 주어지지 않을 만큼 빠르게 마
신을 없애 버릴지도 모른다.

복수전을 치르겠다고 고유 무장까지 마련한 자신의 남편이
그걸 한 번 휘둘러 보지도 못하게 된다면 그것도 나름 웃길 것
같다며 아리아는 나직이 웃었다.

그리고 말했다.

"자, 그러면 이제 돌아가요."

세계수의 숲 한쪽에 셰어든으로 떠나는 사람들이 모여들었다.

레오와 아리아, 리안, 로즈와 에이르.

샤레이를 필두로 하는 에반의 신도들.

숲의 여왕으로서 그들을 배웅하기 위해 나온 미로엘은 미련이 뚝뚝 떨어지는 눈으로 아리아의 손에 들린 목걸이를 바라보았다.

"정말…… 곧이겠지요?"

"그 아이와 직접 약속했잖아요. 믿고 기다리도록 해요."

"당신들은 알고 있잖아요."

"맞아요. 사실, 바로 곧은 아닐·거예요. 하지만 분명 다시 만나게 될 테니까 그 점은 안심해도 좋겠네요."

아리아의 말에 미로엘은 입술을 삐죽이며 작게 투덜거렸다.

"그렇게 오래 걸릴 것이라면, 그분의 아이라도 갖게 해 주셨더라면 좋았을 텐데."

"뭐야, 너희 아직 안 했었냐? 캭!"

아리아는 헛소리를 하는 남편의 엉덩이를 걷어차 네클레스 월드 안에 넣어 버렸다.

그것을 시작으로 셰어든으로 향하는 모든 이가 네클레스

월드 안으로 들어갔다.

샤레이는 마지막으로 미로엘을 무척 묘한 눈으로 바라보다가, 짧게 선언했다.

"나중에 뵙죠."
"하이엘프의 수명은 길어요. 최후의 승자는 제가 될 겁니다."
"다시 만나는 날이 기대되네요."

샤레이까지 네클레스 월드 안으로 돌아가고, 혼자 남은 아리아가 목걸이를 품에 소중히 끌어안고 공신의 힘을 발휘하기 시작했다.

그녀의 몸을 중심으로 반투명한 게이트가 생겨나, 천천히 그녀의 몸을 빨아들였다.

그녀 역시 미로엘을 향해 한마디 했다.

"새로 태어나는 엘프들의 교육, 잘 부탁드려요."

아리아의 말에 미로엘은 금세 그녀가 말하고자 하는 바를 깨달았다.

에이르가 하프엘프라는 사실을 그녀가 알지 못할 리가 없었다.

아리아는 에이르의 어머니를 알고 있는 투였으니, 즉…….

"역시 긴 세월이잖아요…… 맡겨 둬요. 숲의 여왕으로서 약속하죠."

한숨을 내쉬면서도 아리아의 말에 고개를 끄덕여 주는 미로엘.

아리아가 그럴 줄 알았다는 듯 밝게 웃은 다음 순간 게이트가 그녀를 집어삼켰다.

미로엘은 본능적으로 게이트에 손을 뻗으려 했으나, 직후 그런 자신을 붙들었다.

제로가, 그의 사람들이 이렇게 떠날 수 있었던 것은, 이곳에 자신이 남기 때문.

그와 다시 만날 그날까지 마신의 봉인을 잘 지켜야만 했다.

그리고 다시 그와 함께 마신에 맞서 싸워, 그의 여동생을 구하고 이번에야말로 그것을 물리친다.

"……미래에 이 땅에서 그가 태어난다는 거지."

하지만 그를 조금 미리 찾아내는 것 정도는 문제가 없겠지.

그렇겠지?

미로엘은 다급히 종이를 마련해 그 위에 제로의 얼굴을 그리려 했다.

그러나 어째설까.

당장에라도 그의 미소를 떠올릴 수 있을 것만 같은데, 그것을 도면에 제대로 옮길 수가 없었다.

그녀뿐만 아니라 모든 엘프가 그러했다.

모두가 그 현상에 괴로워하며 대체 무슨 마법인지 알아내려 했지만 실상은 간단했다.

……그저 에반의 완벽을 초월한 미모를 온전히 종이에 담아낼 수 없을 뿐이었다.

마계와 혼원계, 신계와 중간계의 충돌은 요마대전 제로에서 그려졌던 것보다도 급진적으로 일어나, 놀랄 만큼 잔잔하게 마무리되었다.

짧고도 강렬했던 변혁의 시대를 주도한 종족 연합군은 대륙에 남은 마족의 잔재를 정리한 후 귀신같이 수면 아래로 잠수했다.

인간과 드워프 대부분은 다시 돌아오지 못할 곳으로 떠났으며, 엘프들은 이전에 그러했던 것처럼…… 아니, 더더욱 폐쇄적으로 숲에 처박혔다.

그들은 매우 오랜 삶을 살았으며 기억력이 좋았으므로, 에반이 전수한 모든 훈련법은 차질 없이 후대에 전수될 수 있었다.

……허나 숲의 여왕 미로엘은 숲 요정의 세력이 지나치게 비대해져 인세에 좋지 못한 영향을 끼칠 것을 걱정하였으므로, 일부러 그 수련법을 일부 훼손시켜 전수하기로 결심하였다.

"그냥 제로 님한테 삐지신 거 아니구요?"

"그 예쁜 사제님의 엘프들 잘 키워 달라는 말에 삐지신 거 아니구요?"

"다 닥치도록 하세요."

"아아, 제로 님! 미로엘 님이 저희 괴롭혀요!"

"닥쳐요."

엘프들의 숲에는 더 이상 전쟁의 흔적이 남지 않았으나, 이 땅에 위대하고도 어리석은 종족이 살았으며 그들의 희생으로 말미암아 전쟁이 종결을 맞이할 수 있었다는 증거는 하나가 남았다.

그것은 바로 정령들의 힘으로 움직이게 된 드래곤의 시체였다. 모든 엘프들은 숲에 있는 드래곤의 시체를 보고 자라나게 되었으니, 그들은 어리석은 인간들과 달리 항상 그것을 보며 경계심을 일깨울 수 있을 터였다.

한편 세어든으로 따라가지 않고 남은 일부의 드워프들은 오로지 기술을 갈고닦아 후대에 물려준다는 일념으로 적당한 광산을 찾아 처박혔다.

다른 세계의 간섭이 끊어지고 세계수의 본격적인 관리가 시작된 신대의 세상은 그래도 한결 살 만한 환경이 되어 있었고, 애초에 에반에게 직접 훈련을 받은 드워프들은 어지간한 위협에는 굴하지 않을 만큼 강해져 있었다.

"드래곤의 부산물을 조금 얻어 올 수 있었다면 좋았을 텐데 말이야."

"예끼 이놈아, 그게 어디 은인의 것이지 우리 것이던가! 앞으로 살아갈 힘을 얻은 것만으로도 감사하지는 못할망정."

이 세상에 남기로 한 이들은 드래곤 무구를 깔끔하게 반납했다.

드래곤의 흔적을 세상에 남길 수는 없다는 이유였는데, 사실은 에반이 원래 살던 시대에는 드래곤의 부산물로 만든 아티팩트가 없었기 때문이었다.

그러니 혹시나 모를 사고를 방지하기 위해 무구들을 수거할 수밖에. 잔류조는 기꺼이 따랐다.

"하지만 이제 어지간한 걸로는 장인의 심장이 뛰지 않는단 말이지."

"오빠의 기술을 연구해요."

젊은 여성 드워프가 말했다.
에이하모의 여동생이었다.

"고유 무장을 만드는 기술, 사장시키기는 아까우니까."

"그렇지, 넌 에이하모에게서 그걸 배웠겠구나."

"사실 보면서도 잘 이해하지 못했지만…… 그래도 이 많은 드워프들이 있는데 설마 완성시키지 못하겠어?"

고유 무장이라는 말에 드워프들의 눈이 다시 불타오르기 시작했다.

에이하모의 여동생은 만족스럽게 웃으며 선언했다.

"그럼 당장 연구 시작하죠! 마지막 고유 무장을 만드는 데에는 나도 제법 활약했으니까!"

그렇게 해서 레오의 고유 무장을 기반으로 한 고유 무장 연구가 드워프 일족의 새로운 과업으로 자리 잡았다.

다만 땅 요정은 숲 요정에 비하면 오랜 세월을 살지 못하는 종족이었고, 심지어 그 와중에 다른 누군가의 의도가 들어갔기 때문에 고유 무장의 연구는 후대를 거쳐 실전되고 말았다.

대신 그 일부가 와전되어 후예에게 전수되었으니, 무기가 아닌 스킬이 되어 버린 그것의 이름을 '스킨 블레이드'라고 했다.

반면 드워프들과 따로 길을 떠난 인간들은, 드래곤 무구를 거두는 대신 에반이 직접 준 아티팩트들로 무장한 채 정처 없는 여행을 떠났다.

"신님의 이름을 온 세상에 퍼트려야지."
"지금은 우리가 이 세상에 남은 그분의 유일한 사제잖아. 임무가 막중해."
"우리가 할 수 있을까……."
"해내야지."

그러나 일은 그리 수월하지 않았다.

그날 온 세상을 가득 채웠던 에반의 신위는 누구나가 알아볼 수 있을 정도였지만, 정작 그 정체가 무엇인지는 아는 이가 얼마 없었기 때문이다.

만약 에반을 믿고 따르던 모든 이가 이 세상에 남아 포교에 나섰더라면 대지교단을 뛰어넘는 성세를 구가할 수 있었을지도 몰랐으나…….

신대의 세상을 살아가는 이들은 그날 마신을 봉인한 자를 두려워하고 경외하면서도 거기에 확고한 실체를 부여하려 하지는 않았다.

그저 한없이 위대하고 강한 무엇인가, 세상을 구원했다는 것은 알지만 감히 그 존재를 인정하고 싶지 않은 존재.

그런 인간들의 통일된 믿음은 에반에게 신격을 부여하기에는 충분했으나, 교단의 신도들을 늘리기에는 적합하지 않았다.

"이들은 그 누구보다도 신님을 믿고 의지하고 있으며, 인정하고 있음에도 불구하고."

"그분이 너무 위대하시기에 애써 고개를 돌리고 있는 것이다."

"그렇다면 우리도 그것을 따르자. 굳이 그분의 존재를 입에 내야만 그분을 믿을 수 있는 것은 아니니까."

따라서 그를 믿는 자들은 곧 자신들을 이름 없는 신의 사제라 칭하게 되었다.

분명히 존재하는 신이며 심지어 세상 전체에 터무니없는 영향력을 끼쳤기에 사제들의 신성력은 누구보다도 강대했으나, 정작 그 사제가 되고자 하는 이는 적었으며 사제로 인정을 받기도 힘들었다.

누구도 실체를 인정하지 않는, 존재를 규정짓지 못하는, 허나 확실하게 존재하는 위대한 신.

따라서 그 신은 이름 없는 신이 되었고, 그를 믿고 따르는 이들은 이름 없는 신의 사제가 되었다.

에반이 신대에서 활동할 때의 이름이, '아무것도 없다'는 뜻의 제로임을 생각하면 굉장히 의미심장한 일이었다.

❀ ❀ ❀

본인은 잘 모르겠지만 사실 에반으로부터 그 누구보다도

많은 안배를 이어받은 조지는 결국 성공적으로 나라를 일으켜 세울 수 있었다.

그는 인간을 따르게 하는 자신의 힘으로 계속해서 세력을 불려 나갔으며, 끝내는 척박한 환경과 무수한 외적의 위협을 이겨 내고 최초로 인간의 왕국을 세울 수 있었다.

"언젠가 이 땅을 아름답게 다듬어 나와 페이나 님의 결혼식을 올릴 것이니, 나라의 이름을 실크라인이라 짓자."

"페이나 님이 어디에 계시는지도 알지 못하면서."

"대지모신의 이름을 만천하에 드높이면 그분께서 나를 찾아와 주실 거야!"

하지만 페이나를 기다리다 늙어 죽을 수는 없었기에 조지는 어쩔 수 없이 다른 왕비를 들였다.

단련법의 중요성을 아주 잘 알고 있었던 그는 자신의 핏줄들이 반드시 단련법을 익힐 수 있도록 하였고, 한편으론 힘을 얻은 이가 반란을 일으킬 것을 경계해 일부러 단련법을 일부 훼손한 것을 부하들에게 베풀었다.

그리고 스스로 약속한 대로 대지교단을 이 땅에 확고히 뿌리내리도록 했다.

그는 결국 페이나를 만나지 못하고 죽었으나, 왕족만이 들어갈 수 있는 실크라인의 보고에 페이나의 초상화를 걸어 두고, 그녀가 언제고 나타나거든 왕국의 초대 왕비로서 모실 것을 당부하였다.

＊＊＊

그리고.
그는 아무도 없는 곳에서 눈을 떴다.

"이건……."

그는…… 고대의 대마도사, 네이브는 잠시 멍한 눈으로 주
위를 둘러보았다.
자신은 분명 마신과 융합하여 마신의 일부가 되었었는데.
아니, 그것은 지금도 마찬가지일 터다.
헌데 어째서?
이곳은 어디이며, 나는 왜 이리도 무력하게 홀로 남겨진 것
인가.

"크으으윽."

머리가 깨질 듯이 아팠다.
마신과의 강제 분리로 인해 독립적으로 활동할 수 있게 되
었지만, 애초에 마신의 분신이었던 그는 지금까지도 마신과
감각을 공유하고 있었다.

바로 그 마신 본체가 산산이 나누어져 봉인된 탓에 마신이 겪는 고통만이 자신에게도 전달되어 오는 탓이다.

"에반, 빌어먹을 자식……!"

결국 그놈이 마신을 봉인하다니.
예정된 결말을 피하기 위해 그렇게나 노력했는데 그 끝에 다다른 곳이 여기라니!

"하나가 되자."

지금이라도 자신이 개체로서의 목숨을 버리고 다시 마신과 하나가 된다면, 봉인은 불완전해지고 금이 생겨 마신에게 자유를 되찾아 줄 수 있을지도 모른다.
그렇게 되면 그때야말로 지상에 파괴와 혼돈을 불러일으키고, 뻔뻔한 낯짝으로 주인공 행세를 했던 가짜를 벌할 수 있으리!

"후…… 하아아아아!"

손날을 날카롭게 세워, 자신의 목을 찔렀다.
끔찍한 격통…… 목에서 검은 피가 분출해 땅바닥에 뿌려졌다.

하지만 그는 죽지 않았다.

죽을 수 없었다.

그는 마신과 하나인 탓에, 개체로서의 그가 소멸하려면 결국 마신이 통째로 소멸하는 수밖에 없었다.

"이, 이럴 수는 없어. 그, 그렇지. 마도의 힘으로 나를 다시 마신에 귀속시키면……."

금세 선후 관계를 깨달은 네이브는 눈을 부릅뜨며 손바닥 위로 온갖 마법진을 피워 냈다. 그러나 황당하게도 그것들 대부분이 완성되지 못하고 무너져 내렸다.

그 이유는 금세 깨달을 수 있었다. 황당하게도, 에반이 자신의 파편을 되찾아 가며 본래부터 네이브가 품고 있었던 그의 것까지도 빼앗아 갔기 때문이다.

그는 자신이 이제 제대로 된 마법을 발현할 수 없다는 사실을 깨달았다.

"……."

이쯤 되면 너무 분노가 커진 나머지 오히려 냉정해질 정도였다.

네이브는 입을 꾹 다물고 주위를 둘러보았다.

일단 상황 파악 먼저 할 생각이었다.

그래서 정말 여기는 어디란 말인가?

하늘은 맑다.

초원 역시 푸르고 넓다.

물도, 바람도, 꽃도 있다.

자신 외의 그 어떠한 존재도 없다는 것을 빼놓으면 모든 것
이 있었다.

"하…… 하하."

마신의 분신으로서 타고난 감지 능력으로 그 사실을 깨달
은 네이브는 실소를 흘렸다.

절망에는 면역이 없다.

그것을 만물에게 깨닫게 해 주어야 할 마신의 분신인 자신
이 지금 그 처지에 처하다니.

가만히 있다가 마신에게 흡수되었으면 이런 일도 없었을
것을, 괜히 에반의 파편과 접하는 바람에 인간으로서의 자아
가 피어나고 말았다.

자신이 절망하고 있는 것은 바로 그 까닭이리라고, 네이브
는 깊이 이해하고 재차 절망했다.

—뀨?

이상한 소리가 들려온 것은 바로 그 순간이었다.

고개를 돌리니 그곳에는 아주 작은 점액질의 생명체가 있었다.

흔히 슬라임이라고 불리는, 너무 약해 마물로 취급도 하지 않는 가장 기본적인 생물의 단위.

바로 그 슬라임이 어째선지 지금 자신을 바라보고 있었다.

어째설까, 그는 곰곰이 생각했다.

그리고 이내 깨달았다.

마도를 잃은 자신에게 남은 것은 어설픈 창조 능력뿐.

그 창조 능력이 아까 자해하며 흘린 피를 기반으로 발현되어, 가장 저급한 마물을 만들어 낸 것이다.

"하, 가장 낮은 곳의 공포인 내가 기껏 슬라임이나 만들어 내는 수준으로 영락했다니."

그렇게 말하면서도 네이브는 입가에 미미한 미소를 머금었다.

비록 그 상대가 제대로 사고나 하는 것인지도 알 수 없는 마물이라고 해도, 이로써 그는 혼자가 아니게 되었기 때문이다.

―뀨, 뀨우우!

"빌어먹을…… 조금 귀엽군."

슬라임은 그를 위로하듯 폴짝 뛰어 그의 어깨 위에 앉고는 그에게 미끈거리는 몸체를 비벼 댔다.

어처구니없게도 자신이 그것에 제법 위로를 받고 있다는 사실을 깨닫고, 네이브는 홀로 쓸쓸하게 고개를 주억였다.

"친구를 만들어 주마."

—뀨!

그렇게 네이브는 본격적으로 슬라임을 만들어 내기 시작했다.

일단 몇 마리를 만들고 나니 알아서 번식도 잘했지만, 슬라임을 만들던 중 그는 욕심이 생겼다.

'가만, 이것도 만들다 보니 제법 강한 놈이 생겨나지 않는가.'

—뀨우!

—뀨뀨웃!

물론 지금은 갓난아기라도 몸으로 눌러 터트릴 수 있을 만큼 약한 것들이지만, 분명 미미하게 슬라임의 능력이 늘어나고 있었다.

네이브는 의욕적으로 슬라임을 생산했다.

—뀨웃? 뀨뀨뀨뀨!

—뀨우우우!

그가 생각했던 대로 슬라임들은 점점 강해져 갔다.

그 종류도 다양해졌고, 심지어는 엘리트 개체마저 탄생했다.

하지만 그러던 중 네이브는 자신의 몸이 점차로 작아지고 있음을 깨달았다.

"어......?"

―뀨끗!

새로운 생명을 만들어 내려면, 다른 생명을 희생해야 한다.

당연한 일이었다.

만약 그가 연금술에 통달했더라면 그것을 잘 알고 있었을 터이나, 에반의 기억 중에서도 오직 요마대전 제로와 관련된 기억만을 가져온 네이브로서는 그것을 알 수가 없었다.

"아, 안 돼."

―뀨우우우?

―뀨우우, 뀨우!

그는 지금이라도 슬라임을 만드는 것을 멈추고자 했지만 무리였다.

이미 그는 슬라임을 만들어 내는 기계나 마찬가지가 되어 있었으니까.

너무 오랜 세월 같은 작업을 반복해 대다가, 인지 능력조차

불완전해진 탓에, 더는 스스로 새로운 행동을 일으킬 수 없게
된 것이다.

"큭, 하악!?"
―뀨!
―뀨우!

네이브는 점점 줄어들었고, 슬라임은 점점 늘어났다.
그의 몸을 뒤덮듯이 생겨나는 슬라임의 파도는 마치 요마
대전3 게임 속 에반의 무수한 사망씬 중 하나, 슬라임 장례식
을 보는 것만 같았다.

"암호, 암호를……!"
―뀨우우우!

결국 그는 자아를 유지하는 것을 포기하고 다른 수단을 강
구했다.
언젠가 이 슬라임의 군단이 마신의 힘을 이루는 한 축이 되
어 세상을 정복할 수 있도록, 잠금을 걸어 두는 것이다.
그리고 이 넓고도 좁은 세상에서 풀려나는 순간, 모든 것을
원래대로 되돌리리라.

"누구도, 풀 수 없게……."

―뀨뀨꿋!

―꿋!?

―뀨뀨웃?

마신이 완전히 부활하는 순간까지는 그 누구도 건드리지 못하게.

오직 자신만이 알 수 있는 암호를…….

"아."

―뀨?

그 순간 그의 뇌리에 두 개의 문장이 떠올랐다.

어째서 그것이 떠올랐는지는 알 수 없었으나, 적어도 그 누구도 알지 못하는 문장이리라는 것은 분명했다.

그는 자신에게 남은 힘을 모조리 끌어내, 그 암호문으로 세상을 잠갔다.

직후 그의 의식은 욕조에 푼 입욕제처럼 스르륵 녹아 버리고 말았다.

―뀨우!

―뀨우우우!

라아프시고하르으그보정주우로우므이라슬.

라아프시고르드만르느사동로우므이라슬.

　만약 그 두 문장이 다른 누구도 아닌 에반의 기억에서부터
나온 것이라는 사실을 그가 알았더라면, 결코 이것을 암호문
으로 정하는 일은 없었을 터이나.

　애석하게도 처음부터 불완전했던 그는 끝까지 그것을 모르
고 무수한 슬라임으로 화하였다.

　므이라슬의 목걸이는 마신의 파편을 무수히 나누어 담은
보관함이 되었고, 후일 마계에서 발견된 그것은 마신이 설계
하고 요마왕이 만든 던전의 가장 얕은 곳에 아티팩트로서 배
치되게 되었다.

Chapter 18.

평행세계를 여행하는 필멸자를 위한 안내서

그곳은 붉게 흐르는 태양의 눈물이 지상을 가득 메운 세상
이었다.

눈앞에 펼쳐진 용암의 바다를 보며 에반은 멍하니 중얼거
렸다.

"적어도 발을 디딜 곳은 있어야 되는 거 아니야?"

"도련님은 발 디딜 곳 없이도 떠 계시잖아요."

메이벨의 예리한 태클이 날아들었다.

그러는 그녀도 박쥐 날개를 퍼덕여 가며 허공에 부유하고
있었다.

에반은 그녀의 말에 그렇지, 하고 고개를 끄덕이고는.

"나 말고 다른 애가 문제지."

자신의 등에 고양이처럼 바짝 붙어 매달린 카틀레야를 가리키며 말했다.

그녀의 등 뒤로 뮤원과 뮤투가 주인과 똑같은 모양새로 매달려 있는 것이 웃겼다.

카틀레야는 괜히 팔에 힘을 주어 에반에게 매달리며 바락바락 외쳤다.

"나, 나도 괜찮거든!? 그냥 우리 뮤원하고 뮤투가 떨어질까 봐 걱정이 되서⋯⋯!"

"그러게 왜 따라왔어. 마계보다도 험난할지도 모른다는 건 짐작하고 있었잖아."

"도련님한테 반해서 그런 거잖아요."

메이벨은 눈을 가늘게 뜨며 카틀레야를 째려보았다.

에반과의 접점도 거의 없었던 녀석인데 이렇게 대담하게 모든 것을 내던질 줄은 몰랐다는 듯이.

그러나 카틀레야는 그녀의 말에 입술을 삐죽이며 대꾸했다.

"누구나가 너처럼 머리가 꽃밭인 줄 알아? 난 그곳에서는 살 수 없었기에 이 남자를 따라온 거야."

"뭔가 사정이 있다고? 그래서 도련님이 싫다고? 그럼 전 그쪽으로는 걱정 안 해도 되겠네요? 맹세할 수 있겠네요?"

"……."

송곳처럼 예리하게 따지고 들어오는 메이벨, 제대로 대꾸
하지 못하고 우물쭈물하는 카틀레야.

메이벨은 다 알고 있다는 표정으로 코웃음을 쳤다.

"새삼스럽지도 않아요. 도련님, 이게 여자들의 수법이라구
요. 도련님한텐 관심 없는 척, 어디까지나 비즈니스인 척! 하
지만 알고 보면 그런 식으로 도련님과의 접점을 늘려 나중엔
어떻게든 도련님을 잡아먹으려고 수를 쓰는 거라구요!"

"남녀 반대인 것 같다만…… 아니, 됐어. 그보다도 카틀레
야, 네 사정을 구체적으로 말해 봐."

"당신도 알고 있을 것 아냐. 적어도 그 네이브라는 남자를
만난 순간에는."

카틀레야의 말에 에반은 입을 꾹 다물었다.

사실 어쩌면 그렇지 않을까 생각은 했다.

카틀레야의 탄생과 네이브의 탄생에 비슷한 점이 많다는
것을 그도 깨닫고 있었으니까.

하지만 '봉인'이 모두 끝날 때까지 예의 주시했음에도 불구
하고 아무 일도 일어나지 않아 기우로 끝났는가 생각했는
데…….

"……너도 마신의 분신이냐?"

"그 남자처럼 마신의 일부를 떼어 내 만든 건 아냐. 하지만, 나를 이루고 있는 마력의 근원은 마신에게서 나온 것이 분명해. 그 남자는 마신 대신 움직이며 강림을 준비하는 분신이었고, 나는 마신의 본체를 완벽히 담아내도록 준비된 용기로써의 분신이었던 거야. ……어쩌면 많은 대기 번호 중의 하나였는지도 모르지만."

하지만 카틀레야는 에반에게 확보되어 의식에 사용되지 않고 살아남았다.

그럼에도 그녀 안에 마신의 기운이 있는 것은 분명한 사실이었고, 마신의 봉인이 이루어지는 순간 자신 내부의 마력이 진탕하는 것을 느꼈다고.

그곳에 계속 있었더라면 자신을 이루는 마력이 흩어지고 말아 그대로 죽게 되었을 것이라며 카틀레야는 담담히 말했다.

"하지만 그 전에 다른 세계로 넘어가 버리면 괜찮지 않을까 생각했어. 세계의 저주를 세계 간 이동으로 이겨 내려는 당신을 보고 나도 즉흥적으로 행동에 옮겼는데, 지금 보니까…… 실제로 그렇게 된 것 같아."

"정말 말도 안 되게 무모했네."

[자신이 위험해질 것을 알면서도 마신의 봉인 의식을 막지 않은 건 어째서입니까?]

여태 줄곧 가만히 있던 페이나가—그녀 역시 깃털 날개를 펄럭이며 하늘에 부유하고 있었다—눈을 지그시 뜨며 물었다.

그러자 카틀레야가 울컥한 표정을 지었다.

"그럼 거기서 나보고 이 남자의 등이라도 찔러야 했다는 얘기야?"

[본인이 살아남으려면 그래야 했겠죠? 가능한지 여부는 둘째 치고 생존을 위해서라면 어떻게든 하는 것이 맞지 않습니까.]

"……."

직설적인 페이나의 말에 카틀레야는 뭐라 대답하지 못하고 얼굴만 붉혔다.

"자아자아."

메이벨이 다 이해한다는 듯 다가와 그녀의 등을 두드려 주었다. 허리춤에서 식칼의 날이 번뜩이는 것처럼 보였다.

"그냥 솔직히 말하고 편해져요. 제가 금방 편하게 해 줄게요."
"저, 저리 가! 아니라니까! 내가 나서 봤자 막을 수 있을 리가 없으니까 가만히 있었던 거야. 그런 거라고!"
—먀아아!
—뮤웃!

카틀레야가 날뛰자 그녀의 등에 매달린 뮤원과 뮤투가 질겁하여 울며 발톱을 세웠다.

에반은 언제나 어디서나 변함없는 메이벨의 모습에 안정감마저 느꼈다.

[당신들은 정말 다른 세상에 와서까지 치정 문제 따위로……]

"하."

에반과 같은 마음이었는지 그렇게 중얼거리는 페이나의 모습에, 카틀레야를 괴롭히던 메이벨이 코웃음을 쳤다.

"당신도 마찬가지잖아요. 항상 얌전 빼더니 결정적인 순간 도련님께 따라붙을 줄이야, 감탄했다니까요."

[하하하, 저는 그저 대지모신의 권위를 지상에 널리 알리는데에 공헌한 제로에게 보답을 할 겸 다른 세계를 여행하게 된 제로를 돕기 위해……]

"대지모신도 그렇게 생각하고 있어요?"

[……]

도중에 끼어들어 묻는 에반의 시선을 페이나가 스르륵, 고개를 돌려 피했다.

반대편에서 메이벨의 시선이 날아들자 재차 시선을 비스듬하게 돌렸다.

목이 360도로 돌아가지 못하는 것이 안타까운 일이었다.

"이러다 타천하는 거 아녜요?"

[그럴지도……]

역시 위험한 게 맞았다.

"신의 사도라는 것들도 의외로 충동적이네."

[괘, 괜찮을 겁니다. 제로 덕분에 저도 터무니없는 공훈을
세웠으니까. 이제 제가 하고 싶은 걸 해도 그분께선 너그러이
봐주실 겁니다. ……아마.]

"정말 사방이 도둑고양이 천지라니까……!"

지금쯤 셰어든에서는 희대의 도둑고양이 취급을 받고 있을
것이 분명한 메이벨이 그따위 말을 하며 몸을 부르르 떨었다.

에반은 그녀를 무시하고 시선을 전방으로 돌렸다. 이 멤버
로 이계에 오게 된 것은, 뭐 아무튼 좋은 일이라 치고 앞으로
가 문제였다.

[앞으로는 어떻게 할 겁니까, 제로? 당신을 휘감고 있는 그
저주를 해결하지 않는 한 원래 세계로는 돌아가지 못할 텐데,
저주를 해소할 방법을 이계에서 찾아볼 생각인 건가요?]

"에반이라고 불러요."

에반이 툭 던지듯 말했다.

"그게 내 진짜 이름이에요."
[조금 감격이네요.]
"에반⋯⋯."

처음으로 에반의 이름을 알게 된 두 여자는 그의 생각보다도 감회가 깊은 표정이었다.

자신이 가만히 있어도 여자를 유혹하고 마는 능력의 소유자라는 것은 통감하고 있는 터, 에반은 그녀들의 반응을 적당히 받아 주며 자신의 감각을 넓혀 이 세상을 탐색하기 시작했다.

"으으음, 이런 세상이라면 있을 법도 한데."
[아니, 아직 제 질문에 대한 답을 하지 않았습니다. 제로⋯⋯ 에반, 이계에서 무엇을 할 생각인가요? 저희에게도 비밀인 겁니까?]
"아, 아뇨. 별거 아녜요. 엘릭시르를 만들려고요."
[음⋯⋯?]

그때였다.
에반이 뭔가를 찾아낸 듯 허공에서 움직이기 시작했다.

그의 멸천보가 얼마나 빠른지는 누구나가 알고 있는 터, 카틀레아는 더욱 세게 그를 붙들고, 메이벨과 페이나는 혹여나 떨어질라 그의 팔을 잡았다.

"설마 처음부터 당첨일 줄이야."
"그렇게 갑자기 움직이시이우아아아아."

에반이 한 발을 앞으로 뻗었다.
바로 그다음 순간 그들은 아주 높은 불꽃의 벽 앞에 서 있었다.
주위 환경은 여전히 용암의 바다였기에 그 벽이 갑자기 눈앞에 나타난 것처럼도 보였다.
하지만 물론 그것은 벽이 아니었다. 워낙에 몸집이 커 벽으로 느껴졌을 뿐, 그것은 살아 움직이는 생명체였다.

─고요한 불의 세상에 불청객이 찾아왔다 했더니, 설마하니 나에게 용건이 있었을 줄이야.
"날개를 펄럭였어!?"
[서, 설마……]
"불사조네요."

워낙에 거대했던 탓에 그것이 무엇인지 깨닫는 게 늦었다.
중간계의 드래곤 따위와는 비교도 되지 않는 압도적인 크기며 기세.

이전 에반이 현대에 있을 때 사냥했던 불사조를 10배 이상
으로 늘여 놓으면 꼭 이런 모습이 되지 않을까 싶었다.

[이, 이런 것들이 넘어왔으면 그대로 중간계가 끝장이 났을
텐데……]

명색이 신의 사도인 페이나마저 긴장하여 에반의 옷깃을
꽉 쥐었다. 에반은 세 여자를 주렁주렁 몸에 달고도 전혀 긴
장한 기색이 없이 심드렁한 얼굴이었다.

"이런 괴물들이 쉽게 넘어올 수 있을 리 없잖아요. 중간계
가 마계를 뛰어넘는 막장 환경이 되었으면 언젠가 가능했을
지도 모르지만."

[마신을 막아 낸 것이 천만다행이로군요.]

—마신…… 마신을 알고 있나? 그녀는 어떻게 되었지?

"오, 마신을 알아?"

—음.

두 명의 마족을 달고 있으니 에반도 마족이라 생각한 것일
까, 그 거대한 불사조는 흔쾌히 대꾸해 주었다.

—그녀가 나를 자신의 세상으로 초대해 주기로 약속했기

에, 나는 힘을 빌려주었는데.

"그렇게 힘을 빌려준 이가 꽤 많겠어, 그렇지."

—물론. 그런데 그녀의 권속인 너희들이 어째서 그것을 모르고 있는가. 또, 이곳에는 어떻게 찾아올 수 있었는가.

"사실 그런 건 전혀 중요하지 않아. 중요한 건 너와 내가 앞으로 나눌 거래지."

에반이 손을 앞으로 뻗으며 말했다.

도중에 자신이 맨손이라는 사실을 깨닫고 주춤했지만, 이내 어깨를 으쓱였다.

'나즈가 알아서 잘 수거했겠지.'

불사조는 에반의 당당한 태도에 당황스러워했다.

다른 세계의 지배자인 마신조차 자신에게 예의를 갖추었는데, 지금 이 남자는 대체 무엇이란 말인가.

—거래?

"그래. 잘 들어. 난 네 깃털을 원해."

—감히!

거래는 시작도 전에 파투가 났다.

자신의 권능을 오롯이 남고 있는 깃털을 원한다는 말은 역린처럼 불사조의 이성을 찔러 터트린 것이다!

─감히 나의 깃털을 탐해!

불사조가 입으로 불꽃을 뿜어냈다! 그와 동시에 세상을 이루고 있는 용암의 바다가 해일처럼 들고일어나 에반 일행을 포위했다.

그 끔찍한 열기는 가히 태양의 중심부에 가까운 온도였다. 평범한 존재였다면 이 시점에서 녹아내려 핏물만 남게 되었으리라.

그러나 사방에서 덮쳐 오던 불꽃은 감히 에반 일행을 침범하지 못하고 허공에서 소멸했다.

일순 그들 일행을 감싸듯 사방에서 솟구친 반투명한 벽이 물리적, 마력적인 간섭을 모두 차단했기 때문이다.

"이런 능력은 대체 어디서 얻으셨어요?"

단순한 방어벽 수준이 아니라 적의 공격을 원자 단위로 분해시켜 버리는 능력에 메이벨이 어안이 벙벙해져 물었다. 에반이 자랑스러워하며 대꾸했다.

"네이브라는 놈의 능력을 멸천력에 조화시키면 이렇게 돼."

그렇다. 에반은 이젠 어디에 내놓아도 빠지지 않는 대마도사가 된 것이다!

한편 단숨에 에반과 그 일행을 녹여 버릴 생각이었던 불사조는 불꽃을 막아 내는 것도 아니고 소멸시켜 버리는 에반의 모습에 경악하여 뒤로 물러섰다.

용암의 바다가 거세게 출렁거렸다.

─그, 그것은 마신의……!?

"네가 그렇게나 싫다면 어쩔 수 없지. 잘 알겠어. 그럼 그냥 내가 가져갈 테니까 가만히 있어."

─잠깐, 너는 마신과 무슨 관……!

에반이 허공에 순수한 멸천력으로 이루어진 길고 가느다란 가시를 만들어 내어, 그것을 곧장 앞으로 내쏘아 불사조를 관통시켰다.

그러자 불사조는 마치 핀셋으로 판에 박제된 나비처럼 모든 움직임을 딱 멈추고 말았다.

"이건 멸천력이 주는 압력을 효율적으로 발산해 적의 모든 움직임을 정지시키는 마법이야."

"들어 봤자 이해 못 하니까 설명하지 마. 빠, 빨리 끝내기나 해."

카틀레야는 여전히 그의 목에 매달려 달달 떨고 있었다.

그것이 과연 용암에 대한 두려움인지, 불사조에 대한 두려움인지, 아니면 아까부터 말도 안 되는 마법만 구사하는 에반에 대한 두려움인지는 알 수 없었다.

"그러면 뽑아 볼까."

"그런데 도련님, 엘릭시르는 이미 만들었잖아요."

"부족해."

"부족해요?"

"응."

에반은 허공에 박제된 불사조를 향해 다가가며 콧노래를 불렀다.

"적어도 그 열 배는 만들어야 목을 축일 거야."

"누구의……?"

메이벨이 의아해져 반문했지만, 에반은 아직 답을 줄 생각이 없었다.

그저 과감하게 불사조의 깃털을 뽑아낼 따름이었다.

평행세계를 여행하는 이름 없는 신이 성공적으로 첫발을 내디딘 순간이었다.

✦✦✦

마신과의 결전 이후 남아 있던 이계의 균열을 통해 이계에 직접 발을 들인 그 순간.

에반은 스스로의 힘으로 다른 세상으로 이어지는 균열을 여닫는 법을 익혔다.

그것은 창조와 공간의 능력을 지닌 대마도사 네이브의 능력을 얻었기 때문이기도 했고,

에반이 지닌 멸천력 덕분이기도 했고,

그가 지닌 신위 덕분이기도 했으며,

그가 마신을 봉인하는 데 성공하고 레벨 업을 했기 때문이기도 했고…….

에반이 자신의 파편을 회수하면서 므이라슬의 목걸이에 대해 완벽하게 이해했기 때문이기도 했다.

그러한 복합적인 요인이 작용하여 에반은 차원 이동이라는 한정적 영역에 대해서만은 그 누구보다도, 설령 마신과 공신이라 해도 범접하지 못할 권능을 얻게 된 것이다.

다만 그것이 아직 그리 정밀한 능력은 아니어서, 다른 세상으로 이어지는 문을 열 수 있을 뿐 그 세상이 정확히 어떤 세상인지는 파악하기가 힘들었다.

그나마 여태까지 자신이 겪었던 세상을 기억하고 그걸 피해서 움직일 수 있는 것은 다행이다.

이런 식으로 차원 이동을 반복하며 능력을 발전시키다 보면, 아마 확실하게 언젠가 셰어든으로 돌아가는 것도 가능해지리라.

불사조를 사냥한 후로 이어진 차원 여행은 제법 순조로웠다.
에반뿐만 아니라 일행 대다수가 어떤 세상에서도 흔히 찾아볼 수 없는 강자로만 이루어진 일행이기에 봉인된 마신의 어린 시절 입양된 쌍둥이 형이라도 나타나지 않는 이상 그들이 위기에 처할 일은 없다고 보면 되었다.
중간계에서 나와 고작 한 달이 흘렀을 즈음, 일행은 차원 여행에 완전히 적응하고 있었다.

"와아아아, 여긴 여태껏 왔던 세상들 중에서도 특히나 이질적인 세상이네요."
[신의 기운이 거의 느껴지지 않는 곳이군요. 이런 것도 드물어.]
"음······? 당신, 왜 그래?"

'문'을 열고 나와 마주한 새로운 세상의 풍경에 저마다 한마디씩 하며 시끄럽게 떠드는 와중, 에반의 안색이 변한 것을 눈치챈 카틀레야가 고개를 갸웃하며 그에게 얼굴을 들이밀었다.

"안색이 이상해. 딱히 걱정하는 건 아니고, 유일하게 문을 열 수 있는 당신이 몸이 안 좋으면……."

"아니, 그냥…… 어쩐지 본 적이 있는 것 같아서."

에반은 쓴웃음을 지으며 얼버무리곤 일행에게 제대로 인식 저해 마법이 걸려 있는지 확인했다.

대놓고 자랑하자면, 이제 에반도 이 정도 마법을 구사할 수가 있었다.

그의 말을 듣지 못한 것인지 메이벨이 옆의 페이나와 얘기를 나누고 있었다.

"여기가 벌써…… 몇 번째죠?"

[다섯 군데 정도 허탕을 쳤으니 아마도 이곳이 여덟 번째일 겁니다.]

"엘릭시르의 재료가 아무 데나 굴러다니고 있는 건 아니니까. 우리 세상에 한 번이나마 만들 만큼 다 모여 있었던 게 기적이야."

"이곳은 모두 우리 세계의 평행세계라고 하셨죠."

"응, 뭐 그런 셈이지."

사실 지구의 평행세계 이론과는 상당히 많은 부분에서 차이가 있지만, 어차피 이들이 그것을 아는 것도 아니니 대충 둘러대었다.

본디 하나의 세계에는 엘릭시르를 만들기 위한 재료가 지극히 한정적으로 존재하는데, 에반이 살던 세상에 있던 것은 모두 거두었다.

따라서 엘릭시르를 추가적으로 만들기 위해선 필연적으로 세상의 장벽을 뛰어넘어야 했던 것이다.

물론 다른 세상이라고 모든 재료가 갖춰진 것은 아니었다. 오히려 그들이 원래 살던 세계보다 대부분의 세상이 부족했다.

마계에서 성수를 찾을 수 없듯이, 신계에 불사조가 살고 있지 않듯이, 많은 차원의 특성을 파악한 후 일행은 자원을 채취하거나 혀를 차며 다음 세상으로 넘어가거나를 반복했다.

그 과정에서 혹여나 중간계로 넘어오면 위협이 되겠다 싶은 것들은 모조리 잘근잘근 밟아 주었다.

[에반, 그대는 신적인 위업을 계속해서 달성해 나가고 있습니다. 이 또한 기억하는 이가 있으면 기록하는 이가 나타나겠지요.]

"적어도 너희들은 아무한테도 말하지 말고 입 다물고 있어라."

참고로 에반은 페이나에게 말을 놓고 있었다.

그를 신으로 인정한 페이나가 존대를 듣는 것은 부담스럽다며 계속해서 편하게 대할 것을 요구했기 때문인데, 반말을 하게 된 후 훨씬 친근하게 변한 그녀의 태도를 보면 아무래도 그녀의 의중은 다른 데에 있었던 것으로 보였다.

"그래서 이제 남은 재료가 뭐지?"

"불사조의 깃털, 사악한 기원, 빙하의 눈물은 확실하게 확보했네요."

불사조의 깃털은 특히나 감격적인 양을 얻을 수 있었다.

아니, 정확히는 그놈에게서 얻은 모든 것이 감격적인 양이었다.

에반은 나중에 벨루아의 고유 무장을 만들 때를 대비해 놈의 심장을 온전히 보관해 두고 있었다.

"빙하의 눈물…… 정령왕, 뒤도 안 돌아보고 도망치는 게 인상적이었어."

페이나와 마찬가지로 이젠 제법 편한 말투로 에반을 상대하게 된 카틀레야가 킥킥 웃으며 말했다.

나머지 이들은 동의하는 표정이었지만 에반은 크흠, 헛기침을 하며 괜히 시선을 다른 데로 돌렸다.

"험난한 세상 살아남으려면 눈치라도 있어야지."

"죽일 수 있었는데 왜 안 죽인 거야?"

"그런 게 있어."

시크하게 대꾸하며 과거를 회상하는 에반에게 메이벨이 말했다.

"도련님, 아무래도 이 세상에는 우리가 찾는 게 없을 것 같은데요."

"응?"

"바로 다음 세상으로 넘어가요. 아니면 여기 처리해 둬야 할 적이라도 있나요? 그런 것처럼은 안 보여요. 이상하게 마나 밀도가 낮은 것도 그렇고……."

"으음…… 기다려 봐."

원래 새로운 세상의 문을 열고 넘어오면 가장 처음 찾는 것이 엘릭시르의 재료.

무엇이 필요한지 대충 알고 있는 만큼 특정 기운만 탐색하면 보통 그 세상을 찾은 지 얼마 지나지 않아 답이 나온다.

하지만 굳이 수색을 하지 않아도 '답이 나오는' 세상이 있는데, 지금 그들이 도착한 세상처럼 공기 중에 마나가 거의 느껴지지 않는 세상이 거기에 속했다.

이 세상도 마찬가지다. 뭘 찾으려 해도 마나의 기적이나 있어야 찾지, 이런 데서는 엘릭시르가 아니라 평범한 포션의 재료도 찾기가 힘들 터였다.

그런데 에반이 바로 차원문을 열지 않고 뜸을 들이고 있는 것이다. 메이벨이 그를 이상한 눈으로 바라보는 것도 당연한 일이었다.

"와아아."

그때, 카틀레야가 순수한 감탄사를 내지르며 에반의 팔을 잡았다.

"맛있는 냄새 나. 달콤하고 기름진 냄새, 고기가 섞인 냄새……!"

"……."

"이곳의 문명은 음식과 건물을 중심으로 발달했나 봐. 머, 먹고 가면 안 돼? 많이 욕심내지는 않을 테니까…… 아무도 모르게 가져올 테니까 부탁해. 내가 어지간하면 당신에게 이런 요구를 하지는 않잖아."

[요즘 들어 작정하고 어리광을 부리고 있으면서 참 뻔뻔하군.]

"그건 페이나 당신도 마찬가지면서…… 도련님? 왜 그러고 가만히 계세요?"

페이나가 은근슬쩍 카틀레야를 에반에게서 떼어 내는 사이 메이벨이 에반의 뺨을 살짝 꼬집었다.

에반은 그제야 마음을 정한 듯 후우, 한숨을 내쉬며 말했다.

"이곳에서 잠시 머무르자. 급한 것도 없고, 확인하고 싶은 것도 있고."

"도련님께서 원하신다면야."

"와! 먹여 주는 거야?"

"그래. 그럼 일단 다들 따라 나와. 계속 '골목'에 있지 말고."

에반은 일행을 줄줄이 이끌고 좁은 길에서 대로변으로 나
왔다.

길은 아스팔트로 뒤덮여 있었고, 상당히 넓었다.

도로의 양옆으로 줄줄이 신대에서는 물론 현대 셰어든에서
도 볼 수 없던 콘크리트로 만든 건물들이 늘어서 있었다.

"와, 사람들!"

"생기가 너무 없어서 인지도 못 하고 있었네. 사람들 엄청
많아!"

거리를 색색의 옷을 입은 사람들이 다니고 있었다. 도로 위
로는 자동차와 버스가 가득했고, 그것들이 뿜어내는 매연에
코가 민감한 카틀레야는 금세 자신의 코를 틀어쥐곤 울상을
지으며 에반의 팔에 얼굴을 묻었다.

"……애 점점 거리낌이 없어지는데 어떻게 처리하면 될까
요, 도련님?"

"메이벨 넌 이 풍경을 앞에 두고도 변하질 않는구나."

죽지 않는 엑스트라

에반은 한숨을 쉬며 그 자리에서 카틀레야에게 기본적인 마기 컨트롤 방법을 가르쳐 주었다.

바로 공기 중에서 자신이 원하는 성분만을 걸러 내어 섭취하는 방법.

어지간한 유해 물질로부터 자신의 체내를 보호하게 해 주는 훌륭한 기법이지만 안타깝게도 어지간한 마력으로는 흉내도 내지 못하는 고급 기술이라는 점이 문제였다.

"와, 공기가 다시 상쾌해졌어."

"이 세상에선 마력 보충도 늦어질 테니 계속 그러고 있지는 말고. 매연 농도가 낮은 곳으로 가게 되면 느슨하게 해."

[그런데 혹시 당신은 이곳에 대해 알고 있기라도 한 겁니까? 아까부터 묘하게 침착하군요.]

"설마, 그럴 리가."

하늘을 찌를 듯이 높이 솟은 건물들.

생기가 하나도 없는 얼굴로 걸어 다니는 무수한 사람들.

눈을 어지럽히는 요란한 간판들.

실로 오랜만에 보는 서울 거리를 눈앞에 두고 에반은 쓴웃음을 지으며 고개를 저었다.

"나도 처음 와 보는 곳이야."

[신대에 갑자기 모습을 드러낸 당신이라면 나른 세상을 알

고 있어도 무리는 아니라고 생각했습니다만, 아니었군요.]

"이런 마나도 별로 없는 환경에서 우리 같은 사람이 제대로 살아갈 수 있을 리가 없잖아."

[하긴 그도 그렇지요.]

페이나는 자연스럽게 수긍하며 고개를 끄덕였다.

에반은 쓴웃음을 띠며 생각했다.

드디어 올 것이 왔다고.

차원 여행을 시작하면서 언젠가 이런 순간이 올 것이라고는 생각하고 있었다.

에반의 파편이 이 세상으로도 흘러갔다는 것은 그의 전생의 기억으로 미루어 자명한 사실이었고, 그렇다면 무수한 이계의 차원문 중에 이 세상으로 이어지는 것이 있어도 자연스러우니까.

하지만 두 눈으로 그것을 직접 확인하기는 싫다고 해야 할까, 최대한 뒤로 미뤄 두고 싶다고 해야 할까…….

아무튼 여기에 대해서는 생각하는 것을 포기하고 있었다.

그러다 결국 내동댕이쳐지게 된 것이다.

전생의 자신이 죽음을 맞이한 세상에.

'시간대가 많이 어긋날 것을 염려했는데…… 아무래도 전생의 내가 기억하던 당시가 맞는 것 같아.'

그가 기억하던 건물들, 기억하던 가게들이 그대로 있는 것을 보면 아예 시간이 별로 흐르지 않은 듯도 했다.

에반은 잠시 그렇게 주위를 둘러보다가, 일행이 이대로 있다간 인파에 휩쓸려 은신이 풀릴 수도 있겠다는 생각을 했다.

하지만 당분간 '지구'에 머무를 것이라면 계속 은신을 하고 있을 수도 없고…….

"옷을 구해 올게. 너흰 잠시 사람 없는 곳에서 대기."

"그냥 은신을 풀까요?"

"나 배고픈데…….."

"절대 안 돼. 얌전히 있어."

에반은 로브를 걸친 데다 드래곤의 가죽으로 만든 갑옷을 입었고, 메이벨은 하녀복에 등 뒤로는 박쥐 날개를 자랑스레 내밀고 있었으며, 페이나는 유럽 벽화에서나 볼 수 있을 법한 치렁치렁한 천옷을, 카틀레야에 이르러선…….

"그리고 너희 전부 날개랑 귀랑 꼬리 감춰."

"내 자랑스러운 귀와 꼬리를 감추라고!"

"감춰."

"네에…….."

자신의 종족에 굉장한 프라이드를 갖고 있던 카틀레야가

찍소리도 내지 못하고 침몰하자 페이나와 메이벨도 자연히 고개를 끄덕였다.

에반은 배고파하는 카틀레야에게 인벤토리 포켓에 보관하고 있던 빵을 물리고는 그 자리를 나왔다.

'그러고 보면 돈도 없어.'

짧게 생각하다 문득 떠오른 것이 있어 한 걸음 내디뎠다.

그러자 그는 어느덧 전생의 자신이 살던 집 현관 앞에 도달해 있었다.

안에선 인기척이 느껴지지 않았다.

"……."

망설임은 격렬했지만 그리 길지 않았다.

에반은 디지털 도어락을 건드려 보았다.

숫자 패드에 불이 들어온다.

조심스러운 손놀림으로 꾹, 꾹, 꾹.

자신이 기억하는 비밀번호를 입력했다.

문이 열렸다.

"하……."

그 안은 차분하게 정돈되어 있었다.

방 안의 가구는 전생의 기억 그대로.

하지만 어딘가 적막하고 고요한 분위기가 감돌았다.

그러던 중 방 안에서 뭔가가 반짝였다.

항상 여반민이 플레이하던 PC 화면.

환하게 켜진 화면에 나타난 것은 죽도록 익숙한 게임, 요마대전3의 플레이 화면이었다.

죽어라 살리려고 노력했는데도 어김없이 에반이 죽어 버린 후의, 사람을 놀리는 듯한 BGM과 함께 나타나는 화려한 사망 CG.

당연하지만 에반은 주요 캐릭터가 아니기에, 그가 죽는다고 게임 오버가 될 일은 없지만.

전생의 여반민은 그 화면을 볼 때마다 잔뜩 화딱지를 내며 맥주를 한 캔씩 까곤 했었다.

"……."

마치 불과 조금 전까지 여반민이 그 자리에 앉아 있기라도 했던 것처럼, PC 데스크에는 방금 딴 것처럼 탄산의 기포 소리를 내는 맥주 캔이 놓여 있었다.

"……시원해."

맥주 캔을 만져 본 에반은 기가 막혀 한숨을 내쉬다, 이윽고 책상 의자에 뭔가 놓인 것을 발견했다.

어둡게 반짝이는 날카로운 크리스탈 파편.

바로 그 자신의 파편이었다.

에반이 그것을 만지려 하자, 그것은 마치 처음부터 그 자리에 없었던 것처럼 스르륵 녹아 사라졌다.

그것이 지구를 떠나 익히 자신이 알고 있는 어딘가로 향하는 광경을 에반은 멍하니 바라보았다.

'과연, 그래서…….'

여반민이 에반의 파편이라.

자연스럽게 납득할 수 있는 일이었다.

전생 같은 것이 아니라, 단지 에반의 파편이 따로 떨어져 나와 형성되었던 인격체 같은 것이라면.

에반이 지구에 찾아온 것이 트리거가 되어 여반민이 소실되고, 그 파편은 제 주인을 찾아 돌아간 것이라면…….

'어째서 지금 내가 아닌 과거의 내게로 날아갔는지는 잘 알수 없지만.'

깊게 생각하지 않기로 했다.

어쩌면 처음부터 이 파편은 '그렇게 되기로 정해져 있었기에' 예정된 대로 움직였을 뿐인지도 모른다.

본래 에반이 아홉 살의 나이에 여반민의 기억을 떠올려 냈기에, 파편 또한 거기에 맞추어 이동했는지도.

'좀 더 정확히 확인해 볼까.'

그는 책상 앞으로 다가가 의자에 앉았다.

확인하고 싶은 것은 단 두 가지.

지금은 정확히 어느 때인가.

요마대전 시리즈는 몇 편까지 발매가 되었는가.

그리고 결과는 에반의 예상대로였다.

자신이 기억하고 있는 전생의 마지막 순간과 완전히 일치했던 것.

요마대전4의 DLC가 최근에 발매되었다는 점까지도 똑같았다.

"후……."

형용할 수 없는 기분에 휩싸여, 그는 한참 동안 모니터를 노려보았다. 요마대전3 클라이언트는 종료된 지 오래였다.

그러다 이내 아직까지 일행이 낯선 환경에 내동댕이쳐져 있다는 것을 깨닫고, 일단 그들을 데려올 생각으로 다시 멸천보를 밟았다.

"바로 이 냄새야!"

"와아아, 굉장히 먼 곳에 있었는데, 어떻게 5분 만에 온 거죠?"

그로부터 20분 후, 일행은 평소 에반이…… 그러니까, 여반 민이 자주 찾던 중국집에서 배달시킨 짜장면과 짬뽕을 해치 우고 있었다.

일단 일행을 안으로 들인 에반이 카틀레야의 성화를 견디 다 못해 그녀가 그렇게나 원하던 것을 먼저 이루어 준 것이다.

처음 이 세계로 건너와 그녀가 맡았던 냄새, 그건 바로 배고 플 때 맡으면 그렇게 환장할 수가 없는 중국집 짜장 냄새였다.

"원래 이 집은 뭘 시키든 10분 안에 배달해 줘. ……해 준다 고 하네."

"굉장히 손이 빠른 자가 조리장으로 있나 봐요. 아무래도 한 가문의 전속으로 일하는 자들은 아닌 듯한데……."

"전속은 무슨. 나 말고도 수천 명은 되는 사람의 주문을 받 고 있을걸."

"이고 마싯서!"

"카틀레야, 먹으면서 말하지 마."

─뮤우웃!

중국요리, 배달 문화 두 가지만으로도 이 세상의 특별함을 전달하기에는 충분했다.

페이나는 포크로 짜장면을 감아올리며 흥미롭다는 듯이 눈을 빛냈다.

[마나가 없어도 이렇게 훌륭한 문명을 구축할 수가 있군요. 건물의 건축 양식도 독자적이며 흥미롭고…… 에반, 혹시 당신은 그 짧은 사이 이 세상의 구조를 파악했습니까?]

"뭐, 대충."

[당신도 이 세상에서 배워 갈 점이 있다고 생각했군요. 그래서 이렇게 매캐한 공기로 가득한 곳에 머무르려고 하는 것이고.]

"이 요리 레시피만은 기억해 가요, 도련님! 꼭이요!"

볼에 양파가 붙은 것도 모르고 그에게 얼굴을 들이미는 것을 보면 메이벨도 새로운 세상의 요리에 단단히 빠진 모양이었다.

에반은 고개를 끄덕여 주며 이곳에서 춘장을 비롯한 지구만의 식재료 레시피를 많이 확보해 가야겠다고 생각했다.

원래 셰어든도 식문화가 발달해 있었던 탓에 굳이 지구의 요리를 옮겨 올 필요성을 느끼지 못했지만, 그도 오랜만에 중국요리를 먹으니 자신이 이것을 그리워하고 있었다는 사실을 알 수 있었다.

'기분이 묘하네.'

에반과 여반민의 연관성에 대해 분명히 알게 된 것은 좋은데, 그 탓에 이 세상과 이 공간이 지나치게 현실성을 띠고 다가오고 있었다.

마치 집으로 돌아가는 여행을 하던 중, 얼마든지 주저앉아 쉬어도 되는 안식처를 찾은 느낌이라고 해야 할까.

하지만 이런 기분에 휩싸이는 것은 그리 좋지 않다는 사실을 알고 있었기에, 그는 제 뺨을 두드려 다급히 제정신을 찾았다.

"그럼 다들 먹고 있어. 난 너희 옷을 사 올 테니까."

"그 돈은 마음대로 써도 되는 건가요?"

"응. 아무도 뭐라고 안 할 테니까 걱정하지 마."

[옷을 갈아입었군요. 멋집니다.]

여반민의 옷 중에서 자신에게 맞는 진과 셔츠를 골라 입은 에반은 거리로 나오며 비로소 은신 마법을 해제했다.

그 순간 주위 사람들의 시선이 그에게로 집중되었다.

"야 저기, 저기."

"외국 모델?"

"여자야 남자야?"

"당연히 남자지, 기럭지 보면 모르냐."

"얼굴 좀 봐, 진심 예술이다……."

이미 익숙해질 대로 익숙해진 반응인데 그 환경이 지구라는 것만으로 낯설게 느껴지다니.

에반은 쓴웃음을 지으며 곧장 옷가게로 향했다.

그곳에서도 그에게 시선이 집중되는 것은 마찬가지였으나, 보랏빛으로 빛나는 그의 눈을 보고도 먼저 말을 걸어올 수 있는 용감한 이는 아무도 없었다.

"계산해 주세요."

"……!?"

일행이 입을 옷을 확보하고 다시 집으로 돌아오기까지가 30분.

그사이 에반은 그 누구와도 대화하지 않았으나, 그사이 찍힌 사진은 SNS를 중심으로 빠르게 퍼져 나갔다.

에반은 어느새 자신이 인터넷에서 유명해지고 있는 것도 모르고 곧장 집으로 돌아왔다.

"도련님, 이 기계에서 나오는 영상들은 대체 뭐죠?"

"와, 물 나와! 여기서 물 나와!"

[냉기를 보관하고 있는 상자…… 흥미로워요. 마력은커녕 전류를 느끼는데 이 전류가 어떻게 냉기를 만들어 내고 있는 걸까요?]

"다들 앉아 봐. 이 세상에서 주의해야 할 점을 알려 줄 테니까."

짧게 나갔다 오는 사이 집 안에서 완전히 개판을 쳐 놓고 있던 이들을 한데 모아 놓고 지구에 대한 기초 교육을 했다.

이곳 사람들의 특징이나 튀지 않게 주의해야 할 점 따위를 말해 주고 그는 선언했다.

"앞으로 일주일 정도 머무르자. 휴식으로는 충분하겠지."

"그럼 이제 나가서 좀 세상을 둘러봐도 되나요?"

"사람 눈에 띄는 곳에서는 마법을 금지하는 조건이라면, 괜찮아."

[잠행이로군요. 신의 사도로서 이런 임무는 낯설지 않습니다. 맡겨 주시죠.]

"아까 오는 길에 다른 데서도 달콤한 냄새가 났어, 거길 먼저 가."

[달콤……!]

일행은 그가 나눠 준 옷으로 갈아입고 신이 나서는 곧장 밖으로 뛰쳐나갔다.

솔직히 걱정되는 마음을 금할 수 없었으나, 지금은 그것보다도 더 신경이 쓰이는 것이 있었다.

'이곳엔 아마 파편이 하나 더 있을 거야.'

요마대전이라는 게임이 어째서 탄생할 수 있었는가. 모두 그의 기억이 파편이라는 형태로 이 세상에 흘러들어 왔기 때문이다.

여반민과는 별개의 파편이 지구에 존재하고 있다.

아마도 개발진 중 누군가, 혹은 그들과 관련된 물품의 형태로.

"드디어 빌어먹을 제작진들 얼굴을 직접 보겠네."

다시 컴퓨터 앞에 앉은 에반은 무심코 콧노래를 부르며 요마대전 제작진의 주소를 찾다가는 이내 큼큼 헛기침을 했다.

그가 제작진을 찾는 것은 결코 그간 쌓인 울분을 풀기 위해서가 아니다. 어디까지나 자신의 파편을 회수하기 위해서인 것이다.

파편을 회수하는 것은 매우 중요한 일이고, 그 과정에서 부득이 제작진을 아주 조금 괴롭히는 형태가 되어도 어쩔 수 없다고 생각했다.

'설마 내가 다시 컴퓨터를 다루는 날이 올 줄이야. 스스로 봐도 정말 초현실적인 광경이야.'

그렇게 얼마나 흘렀을까, 주소를 모두 확인하고 창을 닫으려는데, 메인 포털의 검색어 순위에 이상한 것이 보였다.

[1위: XX동 인큐버스]
[3위: XX동 엘프]
[4위: XXX 닮은 꼴]
[5위: XX동 엘프녀 인스타]
[7위: XX동]

"……."

몸에 한기가 돌았다.

XX동이란 여반민이 살던 동네 이름인 동시에 지금 그들이 머무르고 있는 곳이었으니까.

주저하며 1위 검색어를 클릭한 에반은, 자신을 도촬한 사진이 화면에 쫙 뜨는 것을 보며 말을 잃었다.

"이렇게 되면 이 엘프녀라는 건……."

당연히 메이벨 일행을 말하는 것이었다.

길거리에서 핫도그와 생과일주스를 각각 한 손에 든 채 눈을 반짝이며 돌아다니는 일행의 모습이 찍힌 사진을 보며 에반은 말없이 자신의 이마를 짚었다.

대충 골라 사 온 옷을 입고 있음에도 워낙 태가 좋다 보니 모델도 범접하지 못하는 포스를 뿜어내는 일행의 모습은, 그야 확실히 주목을 받지 않는 것이 이상할 정도로 아름다웠다.

전생의 기억을 갖고 있었던 주제에 현대인들의 인식에 대해 새카맣게 잊어 먹고 있던 자신의 잘못이었다.

하여튼 이 세상 사람들은 뭔가 특이한 게 보인다 싶으면 일단 찍어서 SNS에 올리고 본다니까!

"뭐, 됐나."

어차피 이 세상에서 계속 살 것도 아니고, 주목 좀 받는다고 뭐가 어떻게 되는 것도 아니다.

다만 걱정이 되는 것은 그들의 외모.

요마대전 시리즈의 등장인물들과 닮았다는 얘기가 나오기라도 하면 어쩌나 싶었는데 에반과 관련된 글에도, 메이벨이나 페이나와 관련된 글에도—카틀레야는 게임 속에는 한 번도 모습을 드러내지 않았으니 걱정할 것도 없었다—언급을 찾아볼 수가 없었다.

하긴 요마대전이 아무리 유명해도 주류 문화는 아닌 데다, 항상 2D로만 보던 인물들이 3D로, 그것도 모습이 한참 바뀌어 나타났는데 바로 알아보는 사람이 나오는 것도 이상한 일이긴 했다.

"하지만 이 녀석들은 돌아오면 설교다."

[우와아, 도련님! 여기 사팀 엄청 많아요! 게다가 저희가 이동할 때마다 따라오는 것 같은데 어떻게 할까요? 일부만이라

도 치워 놓을까요?]

양반은 못 되는지 바로 통신으로 보고를 해 오는 메이벨. 에
반은 한숨을 내쉬곤 대꾸했다.

"괜히 사람들한테 손대지 말고 얌전히 돌아오기나 해."

통신을 마친 에반은 이내 깔끔하게 포기하고 자리에서 일
어섰다.
별일이야 있겠냐마는, 이렇게 된 이상 파편 회수를 최대한
서두르는 것이 좋겠다.

"어디…… 이쯤인가."

에반은 곧장 이동했다.
요마대전 개발사의 본사는 한국, 그것도 서울에 위치하고
있었다.
처음엔 누구를 찾아가야 할지 고민했지만, 역시 시나리오
라이터를 찾아가는 게 가장 좋겠다는 생각이 들었다.
그리고 요마대전 시리즈의 시나리오 라이터는 메인 디렉터
를 겸임하고 있는 남자였는데, 요마대전1부터 가장 최신작인
요마대전4까지 전부 이 남자의 손에서 만들어졌다고 해도 과
언이 아니었다.

"……근데, 뭔 대화를 좀 나누지도 못하게 하냐."

에반은 눈앞에 놓인 파편을 보며 허무한 목소리로 중얼거렸다.

메인 디렉터를 찾아 멸천보로 곧장 쳐들어온 것까지는 좋은데, 그 남자의 사무실에는 놀랍게도 에반의 파편만이 남겨져 있었던 것이다.

기왕 요마대전 시리즈의 제작자와 만나는 것이니 사인도 받고, 악수도 나누고―헤븐 프레스로―, 어깨도 좀 두드려주고―헤븐 프레스로―싶었는데…….

"디렉터는! 디렉터는 괜찮아!?"
"몰라, 갑자기 쓰러졌다고!"
"젠장, 가장 중요한 프로젝트가 한창인데……!"

밖이 시끌시끌했다.

아무래도 디렉터는 여반민처럼 통째로 하나의 파편인 것이 아니라, 단지 에반의 파편을 품고 있었을 뿐인 인간이었던 듯했다.

요컨대 에반의 파편을 갖고 있어 요마대전이라는 게임을 만들어 낸 그는, 에반이 이 세상에 찾아오는 순간 파편이 튀어나오는 바람에 그 충격으로 쓰러지기라도 한 모양이었다.

'직접 때려 주지 못한 게 아쉽지만 어쩔 수 없나.'

에반은 쩝, 입맛을 다시며 파편을 회수했다.

그 순간 파편에 저장된 근 수십 년간의 기억이 흘러들어 오며, 요마대전 개발과 관련된 무수한 장면이 에반의 뇌리를 가득 채웠다.

일단 디폴트가 나오는 것이 확실한 요마대전5의 기억을 바탕으로 어째서 에반이 알지 못하는 미래의 정보가 그에게 주어졌던 것인지 탐구하려 했는데…….

"……아니 잠깐만. 이거 설마…….”

그의 기억을 뒤지던 중, 에반은 자신이 전혀 생각지도 못했던 문제와 맞닥뜨리고 말았다.

❊❊❊

에반이 잔뜩 질린 표정으로 집으로 복귀했을 때, 그곳엔 이미 짧은 탐방을 마치고 돌아온 여성진이 그를 기다리고 있었다.

다들 화려한 토핑을 한 와플을 물고 있는 것이 이미 완벽한 현대인의 모습이었다.

"도련님, 표정이 왜 그러세요?"

"아니, 아무것도 아냐……. 맛있냐?"

"드실래요?"

에반은 메이벨이 내민 와플을 깨물어 먹었다.

농밀한 달콤함이 입속 가득 퍼지며 강제로 그에게 생기를 주입했다.

그래, 미리부터 걱정해도 소용없는 일이다.

더구나 그것이 확실히 일어나리라고는 누구도 장담하지 못하니…… 그는 일단 그것에 대해 잊기로 했다.

"맛있죠? 맛있죠? 제가 먹여 드려서 더 맛있는 거예요."

"그래, 고마워."

"꺄학."

간신히 진정한 에반은 방긋방긋 웃는 메이벨의 머리를 거칠게 쓰다듬어 주곤 자리에 앉았다.

반대편에서 페이나가 그에게 밖에서 사 온 주스를 내밀며 말했다.

[이 세상의 문명은 실로 신비하더군요. 당신이 원래 살던 세상도 이 정도로 발달했나요?]

"아닐걸. 뭐 억지로 쫓아가자면 아티팩트를 활용할 수 없는 것도 아니지만, 과학 기술 문명과 마도 문명은 근본적으로 결합이 불가능해."

에반도 이전 자판기를 만들 때부터 그 문제에 대해 제법 고민을 했었더랬다.

하지만 그가 내린 결론은 부분적으로 그 형태를 따라 하는 것은 괜찮아도 그 이상, 기술의 원리까지 도입하는 건 위험하다는 것이다.

두 문명 사이에 우열은 가릴 수 없고 각자 나름의 가치가 있다. 함부로 서로의 영역을 침범하는 것은 좋지 않은 결과를 불러올 것이다.

"난 여기서 살고 싶어……. 맛있는 게 너무 많은걸."

"맛있는 건 그쪽에도 많아."

한편 카틀레야는 밖에서 정말 신나게 먹고 온 모양. 하긴 인터넷에 올라온 사진들 가운데 카틀레야가 각기 다른 음식을 먹는 짤만 수십 개였다.

대체 그 많은 음식이 어디로 들어가는 것인지 알 수 없는 날씬한 배를 문지르며 만족스러운 한숨을 내쉬는 카틀레야를 에반은 괜히 쿡쿡 찔렀다.

"이 세상에 대해선 파악했어?"

"네. 사람들이 굉장히 무례한 세상이라는 생각이 들어요. 멋대로 촬영하고, 저희에 대한 얘기를 공유하더라고요."

"……그건 또 어떻게 알았어?"

"한 명을 붙잡아다가 기억을 읽었어요. 저희와 접촉했던 기억을 지워 줬으니 세이프죠?"

"아니, 아웃이야. 이 세상은 엄청 많은 눈이 있거든."

에반은 그 말과 함께 모니터 화면에 검색 엔진을 띄웠다. 아직도 인기 검색어를 에반과 그의 일행이 점령하고 있었다.

그것 중 아무거나 눌러도 화면이 온통 일행의 사진으로 도배된다. 그것을 보며 메이벨도 질린 표정을 지었다.

"와, 이 정도일 줄은 몰랐는데."

[이게 인터넷이라는 거군요. 어째선지 맹렬한 관심이 솟아납니다.]

"빠지면 위험하니까 조심해. 사람을 글러 먹게 만들거든."

"으에엑. 내 사진이 엄청 많아……."

무수히 많은 사진, 사진.

뚜렷이 인식한 순간을 찍힌 사진도 있는가 하면 설마 이런 것까지 찍었나 싶은 사진도 있었다.

그 덕에 메이벨은 이 세상이 완전범죄를 저지르기 힘든 세상이라는 사실을 깨달았다.

"대체 왜 이렇게 저희를 많이 찍어 댄 걸까요?"

"너무 예뻐서 그래. 성형과 화장으로는 쫓아올 수 없는 영역이거든."

현대는 인공미가 지배하는 세상이다.

그런 세상에 인간을 초월한 미모의 천사 한 명과 마족 두 명이 나타났으니, 사실 이만큼 주목을 받는 것도 당연한 일이었다.

어쩌면 조만간 연예 관계자가 그들을 찾아와 명함을 내밀지도 몰랐다.

"도련님, 제가 방금 잘 못 들었는데 다시 한 번만 말씀해 주실 수 있을까요?"

"메이벨 너는 속내가 너무 빤히 드러나."

"전 도련님이 예쁘다고 해 주실수록 더 예뻐진다구요."

메이벨은 당당하게 변명하며 화면을 훑었다.

에반의 미모를 선명히 찍어 낸 사진이 넷상에 범람하는 것을 보며 그녀의 눈이 반짝였다.

"도련님의 미모를 이렇게까지 근접하게 베낄 수 있다니……. 이 사진기라는 것만은 꼭 가져가고 싶어요."

"그 정도라면 뭐."

사실 에반도 게임기와 소프트를 잔뜩 가져가려고 작정하고 있었다.

어쨌든 기술이 외부로 퍼지게 하지만 않으면 괜찮은 것이다. 본인이 즐길 정도는 확보하고 싶은 것이 그의 속내였다.

"그러면 지금부터 행동 개시다. 메이벨, 넌 이 컴퓨터를 활용해서 최대한 많은 음식의 레시피를 확보하도록 해. 이걸 이용하는 법도 다 파악하고 있겠지?"

"물론이죠. 우리 세상에 없는 식재료도 일부 확보하고 싶어요."

"그렇게 해. 난 그 외의 다른 물건들을 챙길게. 카틀레야랑 페이나는? 따로 뭐 하고 싶은 일 없어?"

"우으응, 없어……."

밖에서 많이 먹고 와 배가 부른 카틀레야는 그 자리에서 몸을 둥글게 말고 눈을 감았다.

이럴 때만 보면 고양이가 따로 없었다. 그녀 옆에 똑같은 자세로 눕는 뮤원과 뮤투를 보면 실로 그러했다.

[저는 이 세상의 대지에 생기가 없는 것이 신경 쓰입니다. 괜찮다면 제 능력으로 죽은 대지를 조금이라도 되살리고 싶군요.]

"아, 그건 괜찮은 생각이네. 무리하지 않는 선에서 부탁해."

[하는 김에 대지모신의 교리를 이 세상 사람들에게…….]

"그건 안 돼."

그렇게 일행의 본격적인 '휴식'이 시작되었다.

메이벨은 인터넷을 능숙하게 활용해 정말로 이 세상에 있는 모든 레시피와 희귀한 식재료를 수급했고, 페이나는 대지모신의 사도로서의 사명감이라도 솟은 것인지 아스팔트로 뒤덮인 죽은 대지에 생명력을 불어넣는 작업을 개시했다.

카틀레야는 식사 시간이 될 때마다 에반을 졸라 밥을 시켜줄 것을 주문, 다양한 배달 음식에 통달해 갔다.

그리고 에반은 인벤토리 포켓에 있던 금을 조금 팔아 자본금을 확보한 후 다양한 게임기와 소프트, 그 외의 현대 기기를 사들이는 한편으로 시간이 남을 때마다 요마대전 개발사에서 가져온 요마대전의 모든 설정 자료를 숙독했다.

"이걸 전생에 확보했으면 대박인데."

"전생 말이죠. 역시 이곳의 기억을 갖고 있으신 거죠?"

"눈치채고 있었잖아?"

인터넷을 다루는 메이벨은 이 세상에 요마대전이라는 게임이 있다는 사실을 머지않아 파악했다.

에반의 어린 시절을 기억하는 그녀로선, 에반이 일찍부터 그 사실을 인지하고 있었다는 것 또한 자연스럽게 깨달을 수 있었다.

"어쩐지 도련님이 이 이상한 세상에 너무 익숙하신 것 같다고는 생각하고 있었는데."

"실망했어?"

"아뇨. 도련님의 비밀을 알게 되어 기뻐요. 이건 아직 벨루아도 모르는 거잖아요."

메이벨은 진심으로 기뻐하는 것처럼 보였다. 에반은 그녀의 무한한 애정과 집착이 어디에서 샘솟는 것인지 굳이 캐묻지 않기로 했다.

"하지만 그것과는 별개로 게임이 좀 밉기는 하네요. 알아봤더니 도련님이 저한테 찔려 죽는 엔딩만 몇 개가 있더라고요."

"그래, 우리 메이벨은 그런 애가 아닌데 말이야."

"……."

"거기서 입을 다물면 좀 무섭거든?"

첫날 이후로 다들 밖에 나가지 않게 되거나, 나가도 위장 마법을 펼치게 되었기 때문에 XX동 엘프 집단의 새로운 사진은 더 이상 올라오지 않게 되었다.

하지만 소문만은 날이 갈수록 무성해졌고, 이미 찍혔던 사진들은 그 증거로서 더욱 유명세를 떨쳤다.

대체 이 사람들이 누구냐, 게임에 나오는 누구 닮은 것 같지 않냐, 빨리 연예계로 데려와라, 사실 내 남친이다 등등, 하루에도 수백, 수천 번씩 언급되며 떡밥을 무한히 재생산했다.

에반과 메이벨 일행이 같은 날 찍혔다는 것을 근거로 이들이 같은 일행일 것이라 추측하는 이들이 절대다수였고, 급기야는 팬카페가 생기고 이들을 XX동 사대천사라 칭하는 일련의 흐름이 형성되기까지 했다.

그 덕에 에반은 절대로 밖에 얼굴을 노출시키지 않으리라 다짐했다.

그렇게 일주일이 흘렀을 즈음 비로소 그가 휴식 종료를 선언했다.

"이제 즐길 건 다 즐겼지? 슬슬 출발하자."

"조조금금 더더 머머무무르르고고 싶싶은은데데."

"안마 의자도 가져가서 다시 쓰게 해 줄 테니까 어리광 부리지 마."

안마 의자에 몸을 맡기고 있던 카틀레야가 데스나이트처럼 목을 떨며 말했지만 에반은 그녀의 개인기를 무시했다.

[돌아왔습니다.]

마침 페이나도 일을 마치고 돌아왔다. 그녀는 굉장히 뿌듯해 보였다.

[아프리카까지 돌아보고 왔습니다. 인간이 침범하지 못한 땅에는 아직까지 희망이 남아 있더군요. 문명의 발전이란 자

연의 쇠퇴와 함께한다는 것을 배울 수 있었던 소중한 기간이었습니다.]

"소중한 깨달음을 얻었네……."

"저도 이만하면 챙길 건 다 챙긴 것 같아요. 그럼 바로 출발해요."

메이벨 또한 지구에서 얻은 것이 만족스러운 모양.

에반은 가져갈 것을 모조리 인벤토리 포켓에 쓸어 담고는 마지막으로 여반민의 방을 훑었다.

자신의 기억이 헛된 것이 아니며 한때 분명히 살아 숨 쉬는 형태로 존재했다는 것을 기억해 두었다.

"그럼 이제 다시 일하러 가자."

"그리울 거야."

에반이 손을 뻗어 허공에 차원과 차원을 잇는 문을 형성했다.

카틀레야만은 끝까지 미련이 남는 얼굴로 뒤를 돌아보았지만, 끝내 에반의 손을 잡고 차원문 안에 뛰어들었다.

그렇게 XX동 사대천사는 지구를 떠났지만, 그 후로도 많은 이들이 그들을 잊지 않고 꾸준히 언급한 탓에 떡밥만은 계속해서 살아남아 불탔다.

그리고 그로부터 얼마 지나지 않아, 요마대전 시리즈의 신작이 발표되었다.

지구에서의 휴식이 끝나고 에반 일행은 정말 바쁘게 움직였다.

지구보다도 마나가 적은 환경에서 기적적으로 마나를 흡수하는 풀이 태어나, 그 세상의 모든 마나를 빨아들인 끝에 순결의 풀로 재탄생한 세상도 있었고.

위대한 영도자가 수백 년 동안 구축한 마법진으로 모든 존재의 악의를 강제로 빼앗아 모든 이를 선한 존재로 만드는 프로젝트를 실시한 결과 백치밖에 남지 않게 된 세상에서, 모든 악의가 응축되어 마계보다도 훨씬 짙은 농도로 구축된 헬 루비를 발견하기도 했다.

한편 만신의 성수를 구한 곳은 그 어떤 세상보다도 훨씬 마나가 짙게 깔린 곳이었다.

황당하게도 너무나 마나가 짙고, 모든 개체가 극도로 오랫동안 살아남아 스스로를 갈고닦은 탓에 그 세상은 모든 존재가 신격을 얻은 곳이 되었다.

당연히 에반의 능력은 그 세상에서도 압도적이었고, 그는 자신을 부하로 삼으려 하거나 죽여 자신의 신격의 거름으로 쓰려고 하는 모든 신들을 지르밟은 후 그들의 힘을 하나로 모아 만신의 성수를 만들어 냈다.

[신이란 대체 무엇일까요.]

"당분간 여기서 탐구해 볼래?"

[만약 에반 당신이 지금 하는 짓을 그만둔다면 진지하게 고려해 봤겠지만요.]

에반은 모든 존재에게 신격을 부여하는 이 세상 특유의 기운을 연금술사의 극의로 만들어 낸 마나 저장용 보석으로 모조리 빨아들이고 있었다.

"그래, 그럼 지금은 포기해. 내가 이걸로 분석해서 신격에 대한 완벽한 논문을 작성해서 보여 줄 테니까."

[아마 불가능하겠지만 별 기대는 하지 않고 기다리고 있겠습니다.]

"그러면 이제 뭐가 남았죠?"

에반은 여태까지 모은 것들을 체크해 보고는 눈을 가늘게 떴다.

"다 모았네."

"어…… 그럼 이제 셰어든으로 돌아가는 방법만 찾으면 되는 건가요?"

"그것도 방법은 파악했어."

지구에서.

개발사에 남겨져 있던 파편을 흡수한 순간, 대충 감은 잡았다.

그리고 몇 개인가의 세상을 추가로 돌아다니며 확신을 얻었다.

그가 얻은 것은 정확히 말하면 자신의 파편을 추적하는 힘이었고, 그 힘으로 외부의 파편을 모조리 흡수했으며……

아직까지 셰어든에 남아 있는 파편을 추적할 수 있게 된 것이다.

"그러면 이제……"

메이벨이 두 손을 모았다.
에반이 고개를 끄덕이며 말했다.

"돌아가자."

❊❊❊

영원빙하에 에반이 사라졌던 때와 똑같은 균열과 진동이 함께 나타났다는 얘기를 듣는 순간 아리샤가 제자리에서 벌떡 일어섰다.

"에반이 온다고!"

"뭐라고요!?"

밖에 있던 샤인이 안으로 뛰쳐 들어왔다. 아리샤는 그에게 찻잔을 던져 조용히 시킨 후 통신기를 귓가에 대고 보고를 재촉했다.

"폴, 몬스터는 확실히 아니겠지!"
[네, 이계의 균열과는 달라요. 저희가 그때 봤던 그 균열이에요!]
"알았어. 상황 달라지면 보고해. 곧장 갈 테니까."
[네!]

아리샤는 통신을 끊고 즉시 샤인에게 외쳤다.

"전부 소집해!"
"이미 연락 넣었습니다."

샤인이 쓸데없이 상쾌한 미소와 함께 그렇게 말한 순간, 어스트레이 본부 건물 위로 거대한 그림자가 드리워지며 진동과 굉음이 일었다.

[큐우우우우우우우우우우!]

세레이나의 드래곤 나르였다.

아리샤가 샤인을 가느다란 눈으로 째려보았다.

"샤인……?"

"아니, 저번에 해 보니까 시끄럽긴 해도 이게 효과 직빵이라서……."

어스트레이 단원들이 일제히 밖으로 뛰쳐나왔다.

세레이나는 이미 나르의 등 위에 타고 있었는데, 허공에 두다리를 파닥거리며 신나게 외치고 있었다.

"오빠 온대! 마중 나가자!"

"아직 에반이라고는 정해지지 않았어, 이 바보야!"

"아냐. 오빠가 올 거라고 내 직감과 배 속의 아이가 가르쳐주고 있어!"

"시끄러, 닥쳐!"

배 속의 아이라는 말에 쓸데없이 분노한 아리샤가 샤우팅했으나 요즘 들어선 드문 일도 아니었기에 다들 그것을 무시하고 차례차례 나르의 등에 올랐다.

아리샤도 씩씩거리며 나르에게 오르는데, 어째 평소보다인원이 많았다.

자세히 보니 벨루아가 레디네와 함께 드래곤의 등에 타고 있는 것이 보였다.

"어, 어라? 어머님?"
"이번엔 내가 같이 가야겠구나."
"그러면, 진짜로 에반이……?"

아리샤의 눈동자가 흔들렸다. 레디네는 그녀의 어깨를 매
만지며 그저 후훗, 하고 웃을 뿐이었다.

"다들 전투를 치를 준비를 해서 오르도록 해. 이번에야말로
마신과 싸운다는 생각으로!"
"전부 탑승해, 탑승!"

기존의 어스트레이 단원은 물론 평소 그들과 행동을 같이하
지 않는 세이브와 르나일, 심지어 요즘은 이름 없는 신의 이름
을 알리며 셰어든에서의 포교에 집중하던 에녹까지 달려왔다.
네임이 이끄는 신인족 파티도 마찬가지였다.

"대인원이네."
"정말로 마신이라도 잡겠어."
"……마신을 그리 가벼이 여겨선 안 돼요."

단원들의 중얼거림에 미로엘이 냉정한 목소리로 답했다.

"그리고 우리가 상대하게 되는 건…… 어쩌면 마신이 아닐 수도 있어요."

"미로엘, 이젠 좀 자세히 말해 줘요."

"미안해요. 저도 봉인에 대해 모든 걸 아는 것이 아니라서 말씀을 드릴 수가 없어요. 하지만 확실한 건."

미로엘은 과거를 더듬는 표정으로 까마득한 옛날에 겪었던 일의 단편을 풀어냈다.

"그는 마신을 온전한 모습으로 상대할 수 없었기에 봉인했었다는 것."

"도련님답지 않네요. 그냥 짓눌러 버리면 됐을 텐데."

"……아마 곧 이해하게 될 거예요."

그때 나르가 힘찬 울음소리와 함께 발진했다.

빠르게 바뀌어 가는 눈 아래 풍경에 멍하니 시선을 두며 에반에 대해 떠올리고 있던 그때, 레디네가 아리샤를 붙들었다.

"아리샤, 버나드 님과는 통신이 되니?"

"앗, 네. 그분께도 연락할까요?"

"그게 좋겠어."

정말 대집결이 되는 셈이다.

아리샤는 쓴웃음을 지으며 버나드에게 통신을 넣었고, 그는 곧장 반응했다.

[온단 말이지, 알겠다. 간다. 영원빙하로 바로 가마.]
"네, 기다리고 있겠습니다."

통신이 끊어졌다. 하긴 그의 딸인 에이르도 지금 엘리자베스와 함께 신대로 넘어간 것으로 추정되는 만큼 그가 다급하게 반응하는 것도 이해할 수 있는 일이었다.

"또 불러야 하는 사람이 있을까요?"
"으으음, 루이즈와 통신했으면 좋겠는데."
"네, 연결해 드릴게요."

아리샤는 곧장 루이즈와 통신을 연결해 통신기를 레디네에게 넘겨주었다.
그것을 받아 든 그녀는 대뜸 말했다.

"크테아실은 그쪽에 있니?"
[네, 넵! 바로 넘기겠습니다!]

레디네는 자신에게 찔쩔매는 황제 루이즈의 목소리를 들으며 가만히 생각했다.

잘난 아들을 두는 것도 제법 즐거운 일이라고.

크테아실은 곧 통신에 응했다. 아무래도 그녀들 역시 대기하고 있던 모양이었다.

[아, 그…… 레디네 님……?]

쩔쩔매는 건 크테아실도 마찬가지였다. 물론 그 이유는 루이즈와 다르겠지만.

레디네는 어딘가 향수마저 느끼며 그녀에게 말을 걸었다.

"크테아실. 지금 일족의 룬은 당신에게 있는 게 맞죠? 마법진의 담당자도 당신일 테고."

[그렇습니다……. 그렇다는 건, 역시?]

"준비해 둬요. 신호를 보내면 바로 발동할 수 있도록."

[아, 알겠습니다! ……그, 레디네 님. 정말로 저희 시조인 나즈 님의 자매이신…….]

"쉬이이잇."

통신이 끊어졌다.

그녀는 통신기를 품에 넣고 고개를 들었다.

미로엘이 그녀를 가만히 바라보고 있었다.

"왜 그래요, 미로엘?"

"아뇨, 당신을 보고 봉인의 해제 정도를 가늠하고 있었습니다."

"이제 곧이에요."

레디네는 신비한 미소와 함께 선언했다.

"정말로 이제 곧 풀려 버리고 말 거예요."

"……."

곧 영원빙하의 모습이 그들 전원의 시야에 들어왔다.

그런데 어째 영원빙하가 그들이 알고 있던 것과 다른 모습을 보이고 있었다.

새하얀 눈과 얼음으로 뒤덮여, 혹한의 냉기를 뿜어내던 대지.

그 넓은 눈의 대지 위를 마기의 폭풍이 휩쓸고 있었던 것이다.

"마신……."

그것을 본 미로엘이 입술을 질끈 깨물며 중얼거렸다. 레디네가 단호히 고개를 저었다.

"어디까지나 선조에 지나지 않아요 ……에녹이라고 했나요?"

"어, 저 찾으셨습니까?"

갑자기 일행의 지휘자로 나선 후작 부인의 생경한 모습에 당황하던 에녹이었으나, 자유 사제로 대륙을 누비던 짬밥이 어디로 가는 것이 아니었기에 즉각 대꾸하고 나섰다.

"신성력으로 마기를 정리했으면 좋겠는데 가능할까요?"
"이름 없는 신의 성력으로 불가능한 것은 없습니다! 단지 그렇게 되면 나중에 힘을 쓸 수가 없게 되는데."
"그건 걱정하지 말아요. 지금 치워 둘 수 있는 건 치워 두고 싶네요."
"알겠습니다!"

에녹이 곧장 드래곤의 등 위에서 일어나 자세를 잡고 신성력을 퍼트렸다.
놀랍게도 그의 신성력이 대지로 하강할수록 크게 증폭되며, 보랏빛의 해일을 일으켜 지상의 마기를 집어삼키고 있었다.

"와, 에녹. 언제 그렇게 성장한 거예요?"
"아니…… 이거 내 힘이 아닌데? 너도 해 봐. 같은 이름 없는 신의 사제로서."
"이젠 이름이 있을 텐데요."

세이브는 그를 비웃듯이 말하면서도 순순히 그를 따라 자신의 마력을 일으켰다.

그가 시험 삼아 가장 가벼운 기술을 날리자, 에녹의 신성력이 그러했듯이 허공에서 끝없이 증폭된 그것이 대지의 마기를 일소하고 소멸했다.

"이거……."
"세이크리드 필드."

확신을 얻은 에녹이 황당해하며 중얼거렸다.

"어째서 여기가 이름 없는 신의 성역이 되어 있는 거지……?"
"그야 에반 오빠가 여기서 사라졌으니까 그런 거 아냐?"
"아니, 그분이 막 사라지셨을 땐 이 정도가 아니었는데. 이건 마치……."

이름 없는 신=에반의 공식이 성립된 지는 제법 되었다.
에녹은 영원빙하 전체를 감쌀 만큼 확장되는 성역을 느끼며 조용히 눈물을 흘렸다.

"어쩌면 그분은 한 번이 아니라……."
"도착했어요."
[큐우우우!]

허공에 드러난 작지 않은 균열을 발견한 나르가 귀여운 목소리와 함께 착륙했다.

　그 앞에서 홀로 균열을 지키고 있던 폴이 반색하며 그들을 반겼다.

"이제 곧 안에서 뭐가 나올 것 같아요!"
"우리도 왔다!"

다른 한편에서 버나드와 일로인이 날아오고 있었다.
……놀랍게도 그들은 드래곤을 타고 있었다.

"드래곤!?"
"숲을 지키는 페어리 드래곤…… 어머니께서 내주셨군요."
[큐우우!?]

　나르는 자신 외의 살아 있는 드래곤의 등장에 놀라워하며 그것에 다가가려 했지만, 곧 드래곤 본체는 진즉 죽었다는 사실을 깨달았다.

　단지 압도적인 숫자의 정령들이 드래곤의 몸에 기어들어가 한 몸이 된 것처럼 움직이고 있을 뿐이었던 것.

"고대의 숲에 이런 전력도 있었구나……."
"그분께서 만들어 주신 거랍니다."

미로엘은 사랑스럽다는 눈으로 정령용을 훑어보고는, 버나드와 함께 드래곤의 등에서 뛰어내리는 일로인의 허전한 복부를 보며 고개를 끄덕이곤 그녀에게 물었다.

"일로인, 아이는 무사히 낳았나요?"
"걱정해 주셔서 고마워요, 미로엘 님. 귀여운 남자아이를 낳았어요. 여기엔 데려올 수가 없어 다른 숲 요정들에게 맡겨 놓았지만."
"곧 만나러 갈 수 있겠네요."
"네, 꼭 그러고 싶네요. 에이르는…… 에이르는 돌아올 수 있는 거겠죠?"
"물론."

미로엘이 단호히 고개를 끄덕이는 모습에 일로인은 그제야 안심한 것인지 버나드의 품에 몸을 기댔다.

"다행이야, 정말 다행……."
"그러게 걱정 말라고 했잖소, 일로인. 마신 놈을 정리하고 에이르와 같이 알론에게 돌아가는 것만 생각합시다."

둘의 모습을 물끄러미 바라보고 있던 아리샤가 문득 한 가지 사실을 떠올렸다.
에이르는 분명 엘리자베스와 함께 모습을 감췄을 터.

레디네가 엘리자베스의 어머니인 미리엄을 이곳에 데려오지 않은 것은 단지 이곳이 위험해서인가?
　그때 그녀의 시선을 느낀 레디네가 아리샤를 돌아보곤, 아주 살짝 서글픈 미소를 머금으며 말했다.

　"엘리자베스도 무사히 돌아올 거란다. 난 에반을 믿어."
　"……네."

　영리한 아리샤는 그녀의 말에 감춰진 뜻을 곧장 알아차렸다.
　엘리자베스는 에이르와는 다른 위기에 처했다. 그것을 해결할 열쇠를 에반이 쥐고 있다.
　그때 균열이 뿜어내는 빛이 한층 짙어졌다. 대기에 다시 한 번 마기의 폭풍이 몰아닥쳤다.

　"전원 전투 준비! 안에서 뭐가 나올지 몰라!"
　"전투 준비!"

　어스트레이 나이츠 단원들은 전부 긴장한 기색으로 자신의 병장기를 움켜쥐었다.
　그때, 균열 안에서 고운 여성의 다리가 튀어나왔다.
　단원들이 움찔하면서도 스킬을 쏟아 낼 준비를 하던 그때.

　"어머나, 환영 인사가 성대한걸. 그간 다들 잘 지냈나요?"

"아리아 님!?"

아리아가 홀로 균열에서 나오고, 균열이 허무하게 닫혔다.

"아리아 님이 왜!?"
"므이라슬의 목걸이!?"
"아, 아리아 님! 에반은!? 에반과 만나신 거죠!"
"다들 있었네. 마침 잘됐다. 일로인, 버나드도 있네. 그럼 곧장 열게요."

아리아가 흥분해 달려드는 이들에게 진정하라는 제스처를 보내곤 므이라슬의 목걸이를 매만졌다.

그러자 허공에 게이트가 열리더니, 안에서 에이르가 폴짝 뛰어나왔다.

"……에이르!?"
"엄마!"

일로인을 발견한 에이르가 아찔하리만치 환한 미소를 지으며 그녀에게 달려가 곧장 품에 안겼다.

일로인은 그녀를 꼭 끌어안아 주면서도 당황을 금치 못했다.

"이게 그러니까…… 왜 이렇게 커진 거니? 숙녀가 되어서 왔잖아?"

"마계에 다녀와서."

에이르의 머리카락 속에서 기어 나온 로즈가 입술을 삐죽거리며 말했다.

"마계에서 에이르가 많이 성장했거든. 일로인 너보다 훨씬 셀걸."

"즉 당신 때문이라는 거죠!"

"어, 음…… 미안."

로즈가 순순히 인정했다! 일로인이 재차 성질을 내려 했으나 그것을 말린 버나드가 로즈에게 손짓을 했다.

로즈가 허공에서 자신의 몸을 키워, 에이르가 그러했듯이 버나드의 품에 안겼다.

"고생했다, 로즈."

"너무 보고 싶었어, 버나드……."

"정말, 이걸 때릴 수도 없고."

게이트 안에서 나온 것은 에이르와 로즈뿐만이 아니었다.

레오와 그의 아들 리안을 시작으로, 생전 처음 보는 인간들과 드워프들이 연달아 튀어나오는 것이 아닌가.

"오오, 나오자마자 그분의 힘이 팍팍 느껴지는데?"

"하지만 전체적인 마나의 농도는 조금 옅은 곳이군. 예상은 하고 있었지만 말이야."

"그래서 그분은 어디 계시지? 곧 만나 뵐 수 있는 건가?"

"뭐, 뭐야. 저 사람들은 뭐야?"

에반의 모습을 기대하던 사람들이 당황하던 그때.

그들의 몸에서 흐르는 기운을 알아본 에녹과 세이브가 벌떡 일어섰다.

"설마 당신들은 그분을 모시는 사제인가!"

"이럴 수가, 이렇게나 동지가 많았다니!"

"아, 또 시작이야."

르나일이 한숨을 내쉬며 이마를 짚었다.

에반의 신성력을 다루는 이들은 바로 서로를 알아보고 진한 미소를 교환하며 끌어안았다.

아예 모르던 사람들인데도 그들이 곧장 무리에 섞여 들 수 있었던 것은 전적으로 그 덕분이었다.

그리고, 마지막으로.

게이트 안에서 숨이 막힐 만큼 가련한 미모의 마녀가 나타났다.

흐림 한 점 없는 하늘색의 눈동자가 지극히 인상적인 그녀는 짙은 애수를 자아내는 모습이었다.

"……."
"……."

아리샤와 벨루아, 세레이나는 본능적으로 그녀가 적임을
간파하고 눈을 가늘게 떴다.
그녀는 이유 없이 자신을 향하는 적의와 마주하면서도 담
담히 주위를 둘러보다가, 문득 눈을 크게 떴다.

"어…… 아르파?"
"그게 누군지는 모르겠지만."

레디네는 안면에 철판을 깔고 환한 얼굴로 말했다.

"환영해요, 새로운 '며느리 후보'님."

선빵을 맞은 샤레이는 정신을 차리지 못했다.
그야, 자신의 동생이 사랑하는 남자의 어머니가 되어 있을
줄 그 누가 예상할 수 있었겠는가.
한국의 아침 드라마도 울고 갈 일이었다.

Chapter 19.

진정한 평화

"그래서 이 녀석이 레오의 아들이라고."

"리안 착해!"

"안녕하세요!"

에이르는 자기 남편감을 아버지와 어머니에게 소개시켰다.

방긋방긋 웃고 있는 홍안의 미소년을 앞에 두고 일로인과 버나드는 서로를 마주 본 후, 이어서 로즈를 째려보았다.

"넌 뭐 한 거냐, 로즈."

"내가 가만히 있었을 거라 생각한 거냐, 버나드? 하지만 에이르에겐 정신 안정제가 필요했단 말이다."

"……그러고 보니 엘리자베스가 없군."

버나드의 그 말에 에이르가 그 자리에 우뚝, 멈춰 섰다.

갑자기 눈물을 글썽이기 시작하는 그녀의 모습에 버나드는 자신이 지뢰를 밟았음을 직감했다.

그러나 다행히도 에이르가 터지기 전 미로엘이 다가와 녀석을 다독여 주었다.

"에반이 곧 돌아올 겁니다. 이제 울 필요 없어요, 에이르."

"훌쩍, 응……."

"그렇지, 에반!"

새로운 라이벌의 등장에 긴장하고 있던 아리샤가 그 말을 듣고 외쳤다.

"에반은 어디에 있어? 왜 같이 안 온 거야?"

"그렇죠, 이제 에반이라고 해도 되는군요!"

아리아가 그 말을 듣고 까르륵 웃더니 인자한 미소를 지으며 말했다.

"에반은 따로 떠났어요, 아리샤. 하지만 곧 올 거랍니다. 일부러 시기를 맞추었거든요."

"그, 그런 게 가능해요?"

"지금 아리아는 조금 특별해. 에반 그 녀석은 하이퍼 모드라고 했지."

공신의 파편을 흡수해 모든 신성 마법의 경지를 한 단계 업그레이드시킨 아리아에게 더할 나위 없이 잘 어울리는 말이었다.

"아리아 님, 이제 목걸이를……."
"그렇지. 받아요."
"감사합니다."

한편 아직까지 목걸이에 묶여 있는 샤레이는 아리아로부터 그것을 건네받아 자신의 목에 걸고는 후우, 깊은 한숨을 토해냈다.
세레이나가 그런 그녀에게 다가가 쿡쿡 찌르며 물었다.

"우리 에반 오빠랑은 무슨 관계예요?"
"네!? 에반…… 그, 신님의 진짜 이름이군요. 저, 저는 신님과, 그러니까."

샤레이가 손을 꼼지락거리며 말을 잇다 말고 레디네의 눈치를 살폈다.
그녀는 여전히 인자한 미소를 짓고 있었다.

"왜 그러나요? 내가 에반의 엄마랍니다. 편하게 대해 줘요."

"……."

입 밖으로 확실히 떨어진 선언에 샤레이는 세상을 잃은 얼굴이 되었다.

뭘 어떻게 하면 자신의 동생이 신님을 낳은 어머니가 된단 말인가!

하지만 확실히 그렇게 듣고 보면 둘 사이에 닮은 부분이 상당히 많은 것도 같고!

"이, 이 세상의 혼인 법률은 어떻게 되나요……?"

"법률의 존재를 알고 있다니 놀랍네요."

레디네가 빙글빙글 웃었다. 땀을 뻘뻘 흘리며 애써 그녀의 시선을 피하려 노력하는 샤레이의 모습에, 세레이나는 직감적으로 한 가지 사실을 깨달았다.

이 사람 아직 일방통행이다! 우리 오빠는 아직 넘어가지 않았다!

"게다가 뭔지는 잘 모르겠지만 이 사람 예쁘기만 예쁘지 약해 보여."

"이제 와서 처첩 몇 명 늘어나는 정도로 새삼스레 놀랍지도 않아. 그래서 대체 에반은 언제 오는 건데!"

"……."

침묵하고 있던 벨루아가 퍼뜩 고개를 들었다.
일대에 한층 무거운 마기의 압력이 깔리고 있었다.

"봉인이…….."
"그렇구나."

동생을 놀리듯 싱글벙글 미소만 짓고 있던 레디네도 진지
한 표정을 지었다.

"마신 봉인의 당사자가 모였기 때문이야……. 안 그래도 풀
려 가던 봉인이, 이젠 걷잡을 수 없이…… 에반이 빨리 와 주
길 바라야겠는걸."
"아르……."

무심코 아르파라는 이름이 튀어나오려던 순간 레디네가 사
납게 째리자 샤레이가 눈물을 글썽였다. 레디네가 조용히 자
신의 이름을 입 밖에 냈다.

"레디네."
"레디네…… 님."
"말해요."

"힘들지 않았나요? 그동안 홀로 봉인을 지켜 왔을 텐데……."

"고통스러웠던 기억마저 대부분 날아갔답니다. 게다가 이제 곧 끝이니까."

"……."

안타까운 눈으로 자신을 바라보는 샤레이에게, 레디네는 푸근한 미소를 지어 보이며 말했다.

"저도 성장했답니다. 이미 지나간 일에 슬퍼할 것 없어요."

"그렇지만……."

"나누고 싶은 이야기는 많지만, 마신을 죽인 다음에 해요. 우리 모두 족쇄에서 풀려난 다음에."

그때.

쿠우우우우우우웅! 영원빙하에 거대하고 둔중한 진동이 내달렸다.

대지에 깊은 금이 가며 얼음의 대지가 반으로 갈렸다.

"이런."

그 안에서 새어 나오는 끔찍한 양의 마기를 느끼고 레디네는 곧장 크테아실에게 통신을 걸었다.

"당장 발동해요."

[주, 준비하고 있었습니다!]

기합이 잔뜩 들어간 이등병처럼 대꾸한 크테아실이 아마도 그 옆자리에 있을 루이즈에게 상황을 전달한 직후.

과거 무수한 세월을 살아온 마녀들의 손에 만들어져, 루이즈가 건설한 제국의 일꾼들이 땀을 흘려 보강한 대륙 전체를 뒤덮는 마법진이 비로소 가동했다.

─지이이이이이이이이잉!

대성당의 종이 울리는 듯 맑고 깊은 소리가 어디에서랄 것도 없이 울려 퍼졌다.

잔뜩 금이 가고 갈라진 대지 위를 기하학적인 선이 달려 나가며 빈틈없이 메꿨다.

선이 하나 늘어날 때마다 미약한 비명과 신음이 들려오는 듯했지만 통쾌할 뿐이었다.

"오오오오! 신의 힘인가?"

"결전을 떠올리게 하는군. 마신이 다시 살아날 거야."

"큭, 이번에야말로 그분의 힘이 되어 드리고야 말겠다!"

"전원 전투 준비!"

온 세상을 뒤덮는 신비로운 마법진의 모습에 약간 얼이 빠져 있던 일행과는 달리, 게이트에서 빠져나온 인간과 드워프의 군단은 무장을 들어 올리며 용감하게도 마신과의 전투를 준비했다.

　"이계의 균열들의 힘이 이곳으로 집중되고 있어."
　"마신은 혼원계와 연결되는 순간, 그 게이트를 일부 자신의 뜻대로 조종하는 능력을 얻었어요. 에반이 게이트를 열고 닫는 능력을 얻은 것도 바로 그 마신을 봉인했기 때문이죠."

　아리아가 침착하게 해설했다.

　"다들 준비해요, 이제 곧 마신이 부활할 거예요."
　"드디어……."

　레디네는, 그리고 샤레이는 자신들의 모든 것을 바쳐 시행했던 봉인이 해제되며 그녀들에게로 힘이 돌아오는 것을 느끼고 전율했다.
　진즉부터 한계를 맞이하고 있던 마신의 봉인은, 그러나 과거 마녀의 시조 나즈의 활약과 봉인의 당사자인 샤레이의 외부 차원 격리에 의해 아슬아슬하게 깨지지 않고 유지되어 오고 있었다.
　하지만 샤레이가 셰어든으로 돌아오는 것으로 인해 비로소 모든 퍼즐이 맞추어졌다.

마신의 봉인은, 봉인이 성립되는 순간부터 예정되어 있었 듯이 이제 완벽하게 해제되어…….

―콰앙!

"버나드 할아버지!"

허공에 게이트가 열리고, 그 안에서 에반과 메이벨을 비롯 한 일행이 정신없이 뛰쳐나왔다.

마신과의 전투를 대비하고 있던 모든 이의 눈동자가 동그 랗게 뜨였다.

"에반!?"
"도련님!"
"제로 님!"
"오오오오오, 신님께서 오셨다!"
"그 뒤에 있는 애들은 뭐야!?"
"미안한데 급해, 나중에 하고 다 비켜 봐!"

그와의 감격적인 재회를 기대했던 모든 이에게는 정말로 미안한 일이지만, 에반은 그를 발견하자마자 눈을 빛내며 달 려드는 이들을 일단 밀어내고 버나드에게로 달려갔다.

그 순간에도 세계의 저주가 발동하여 에반을 이 세상으로 부터 밀어내려 안간힘을 쓰고 있었다.

하지만 크테아실과 루이즈가 힘을 합쳐 발동한 마법진에는 마신을 약화시키는 힘뿐만 아니라 에반을 억압하는 세계의 저주도 약화시키는 능력도 같이 있었기에 잠시라면 버티고 있을 수 있었다.

"할아버지, 엘릭시르 연성! 빨리!"

"엉!? 돌아오자마자 그게 무슨 소리냐!"

"아, 빨리! 엘릭시르!"

기껏 생각해서 다른 세상에서 안 만들고 가져왔더니만!

에반은 진즉 한데 모아 둔 재료들을 냅다 버나드에게 넘겼다.

"할아버지 힘으로 모은 재료가 아니라 저처럼 완전한 효과는 얻지 못하겠지만 그래도 얻는 게 제법 될 거예요!"

"이것들은 정말로 엘릭시르의 재료가…… 어어억! 뭐가 이렇게 많은 게냐!"

"빨리 만들어요, 할아버지! 도와줄 테니까!"

에반은 준비해 온 작업대를 그 자리에 빠르게 꺼내 펼쳤다.

버나드가 어이없어하면서도 일단 재료들을 늘어놓는 틈에, 그는 품에서 신비로운 황금색의 액체가 감돌고 있는 병을 꺼

냈다.

"그건 엘릭시르가 아니냐!"
"맞아요, 그리고 이걸 지금부터……."

에반은 짧게 심호흡을 하고는, 병의 마개를 뽑았다.
그리고 그것을 냅다 땅에 들이부었다.

"뭐어 하는 게냐아아아아아!"
"할아버지도 연성 끝나면 알겠지만, 이건 어차피 인간이 못
마셔요! 처음부터 이런 용도라고요!"

―끄아아아아아아아아아아!

에반이 엘릭시르를 땅에 들이붓는 그 순간 끔찍한 비명이
대지를 강타했다.
그것이 봉인에서 벗어나려 몸부림치고 있는 마신의 것이라
는 사실을 모두가 알아차렸다.

"엘릭시르가……."
"마신을……?"
"이 대지와, 대지 안에 몸을 눕힌 모든 것들에게."

마지막 한 방울까지 깔끔하게 털어 낸 에반이 버나드를 도와 엘릭시르 연성을 개시하며 선언했다.

"엘릭시르는 완전한 회복과 정화, 승화의 힘을 선사할 거야."
"그렇다는 것은……."
"모든 것은 순리대로 돌아가겠지."

세계의 저주는 마신이 세계를 억압해 진리를 비틀고 강제로 새겨 넣은 것이다.

죄 없는 세상의 구성원을 일방적으로 부정하는 것은 세계에도 끔찍이 부담이 걸리는 일이고, 결코 정상이 아니다.

엘릭시르는 그런 세계의 상태를 원래대로 되돌려 놓을 수 있다.

지금, 에반의 몸을 덮쳐 오던 무거운 저주가 깔끔하게 소멸한 것이 그 증거였다.

"도련님을 괴롭히던 저주가……."

벨루아가 당장에라도 눈물을 흘릴 것 같은 표정으로 그를 바라보고 있었다.

비단 그녀뿐만이 아니다.

마지막 순간 발동한 세계의 저주 탓으로 그를 떠나보내야 했던 사람들에게 있어 저주가 소멸했다는 소식은 마신이 어쩌고

저쩌고는 아무런 신경도 안 쓰일 만큼 중대한 소식이었다.

"잠깐, 그럼 마신에게 타격을 입힌 것은……."
"마신은 많은 존재, 차원과의 융합으로 스스로의 덩치를 불렸지. 그 상태의 마신에게 엘릭시르를 붓는다고 한들 아무런 효과도 없었을 거야."

하지만 에반은 당시 마신을 무수한 개체로 나누어 봉인했다.
그것은 단순히 마신을 거대한 덩치 그대로 봉인할 수 없었기 때문만이 아니다.
그보다는 마신과 융합했던 개체들을 다시 따로 떼어 내고 싶었기 때문이다.
그 당시에는 말마따나 억지로 잘라 놓았을 뿐이었고 모든 개체가 마기로 모두 짙게 연결되어 있어 불가능했지만.
그로부터 각 개체가 독립성을 띠기에 충분한 시간이 흐른 지금이라면.
이 상황에서 재차 엘릭시르를 붓게 된다면…….

"모든 것을 깔끔하게 치유해 버리는 거야. 얼기설기 융합했던 마신으로부터 모든 것을 떼어 내 원래의 형태로 되돌리는 거지."
"리즈 언니!"

에이르가 외쳤다. 에반은 묵묵히 고개를 끄덕였다.

그때 마침 연성이 끝났다.

에반은 투명한 황금색의 액체를 눈앞에 놓고 감탄사를 내지르는 버나드의 손으로부터 엘릭시르를 받아 들어, 그것을 재차 땅에 부었다.

마신의 비명, 치유되어 가는 대지, 엘릭시르의 효과로 충만해지는 대기의 마나.

"이건, 굉장하구나……."

"후우, 세이프……."

아슬아슬했다.

엘릭시르 하나만으로 이 넓은 대지를 커버하기에는 한없이 부족했으니까.

하지만 지금은 에반이 온갖 세상으로부터 잔뜩 끌어모은 재료로 만든 대용량 엘릭시르를 추가로 투하했을 뿐만 아니라…….

"세계수가 힘을 빌려주고 있어……."

"어머니께선 지금 이 순간만을 위해 힘을 비축해 오셨으니까요."

어느덧 에반의 곁으로 다가온 미로엘이 작게 웃으며 말했다.

어째 웃는 것이 웃는 것으로 보이지 않았다.

"잘 다녀왔나요, 에반?"

"음, 어, 응."

"이젠 편하게 대해 주는군요."

"아, 그러니까, 음……."

"쿡쿡……. 어머?"

쩔쩔매는 에반의 모습에 미로엘이 그만 참지 못하고 웃음을 터트리고 말았다.

그때 옆에서 그녀를 밀어내고 나타나는 이들이 있었다.

"미로엘, 반가운 마음은 알겠지만 독차지하지 말아 줘요."

"도련님……."

"오빠아아아아아아!"

아리샤며 벨루아에 세레이나까지, 냅다 달려들어 안기는데 피할 수도 없어 간신히 받아 냈다.

이제 곧 마신이 부활할 텐데 떨어지라고 말하기에는 눈빛이 너무 간절했다.

그런데 그녀들을 안아 주던 에반은 곧 한 가지 이상한 점을 깨달았다.

깨닫고 말았다.

"……레이랑 루아, 왜 배가……?"

단순히 많이 먹어서 살이 쪘다기엔 얼굴이나 팔다리는 그대로.

더구나 그녀들 정도로 강해지고 나면 어지간히 먹어선 살이 찌지 않을 만큼 신체 상태가 완벽하게 유지되어야 하는데……

"오빠 아이야♥"

"……."

세레이나가 맑은 미소와 함께 말했다.

에반은 말없이 시선만을 벨루아에게 돌렸다.

그녀는 볼을 붉히며 눈을 내리깔고는 조그마한 목소리로 말했다.

"그, 도련님과의 사랑의 증표가 갖고 싶었어요……."

에반의 시선이 아리샤에게로 돌아가자, 그녀는 벌써부터 서러운지 눈물을 글썽이고 있었다.

"우리 결혼하고 갖자고 약속했었잖아."

입술을 삐죽이며 말하더니 덧붙였다.

"그런데 나 말고는 다 배신했어. 루이즈를 포함해서."

"루이즈까지!"

"휴우, 나도 만들어 와서 다행이다."

"메이벨 너마저!?"

삼 연타를 얻어맞고 정신을 못 차리던 와중 메이벨의 뒤늦은 고백에 에반의 정신이 깔끔하게 소멸했다.

선 채로 기절한 것이다.

"오랜만에 보는 풍경이야. 마음이 놓여."

"역시 우리 기사단은 이래야지."

"마신! 마신이 이제 곧 부활한다고!"

"……뭐야, 이 남자 왜 이렇게 여자가 많은 건데!?"

[각오는 하고 있었습니다만, 정말 개판이군요…….]

마신이 부활하기까지 앞으로 10초.

주인공이 모두 집결했다.

에반이 가까스로 정신을 차린 다음 순간이었다.

아무런 전조도 없이, 허공으로 거대한 머리통이 튀어 올랐다.

"어, 저거……!"

"다들 공격."

인간의 그것보다 수십 배 이상 거대하고, 보는 인간의 시선을 빨아들이는 마력을 지닌 미모의 여성의 얼굴.

신대에서 이미 한 번 마신을 상대했던 이들은 그것이 마신의 얼굴이라는 사실을 바로 깨달았고, 설령 그렇지 않다고 해도 거기서 느껴지는 초월적인 마기에 본능적으로 무기를 들어 올렸다.

하지만⋯⋯.

"아직 안 돼."

에반의 나직한 선언이 그들을 강제로 진정시켰다.

사방에서 들어 올리던 병장기가 그 한마디에 밑을 향하는 모습이 조금 우스웠다.

"마신의 육체가 하나로 합쳐지기 전에는 공격을 해 봤자 별 의미가 없을 거야."

"도련님은 원래 변신이 끝나기 전에 공격하는 걸 좋아하시지 않습니까."

그의 취향과 이 세계와는 어울리지 않는 지식의 단편이 조화를 이룬 송곳처럼 날카로운 태클.

실로 오랜만에 듣는 샤인의 태클에 에반은 살짝 눈물이 나올 것만 같았다.

시선을 그에게로 돌리니, 본능적으로 그 말을 했던 샤인이 스스로도 감회가 깊은지 그를 마주 보며 킥킥 웃고 있었다.

에반도 빙긋이 웃어 주곤 답했다.

"맞아, 하지만 마신쯤 되면 변신 타임은 무적이 되거든. 내가 부여한 엘릭시르의 효과로 인해 강제적으로 '원래의 모습'으로 돌아가고 있으니, 설령 훼손이 된다고 한들 세상의 마나를 끌어당겨서라도 원래의 모습을 찾고야 말겠지."

"그렇다면 도련님이 엘릭시르를 부어 버리신 건……."

"바로 저런 놈들."

─구에엑!?

에반의 손이 허공으로 뻗는 순간, 아무런 전조도 없이 지상에 모습을 드러낸 사이클롭스의 목이 뒤틀렸다.

놈은 붉고 노랗게 물든 사악한 외눈과 번개를 뿜어내는 뿔을 지닌, 체고 70미터에 달하는 끔찍한 괴물이었다.

아마도 혼원계에서 튀어나왔을, 나라 하나를 멸할 수도 있을 재앙의 몬스터가 죽어 버린 것이다.

"저건……!?"

"마신의 몸을 이루고 있다가 강제로 분리되어 봉인당한, 그리고 지금 엘릭시르의 능력으로 마신과의 융합이 풀려 제 몸을 되찾은 것들. 여기까지 말해 주면 알겠지?"

"그것들을 죽이면 되는 거로군요!"

"전원 전투 준비! 지금부터 일대에 나타나는 몬스터를 죽인다!"

에반이 내뱉은 말이 그대로 지시가 되어 울려 퍼졌다.

에반의 신도들도, 어스트레이도, 그 외에 이 자리에 모인 다른 모든 이도 순식간에 진형을 형성해 영원빙하 곳곳으로 퍼졌다.

마신의 얼굴 밑으로 성대가 붙은 목이 날아와 붙고 있었는데, 아직 마신의 눈은 뜨이지 않은 채였다.

"공자님, 혹시 영원빙하 말고 다른 곳에도 몬스터가 나타나는 겁니까?"

그에게 다가와 물은 것은 전투 능력이 없어 지금 싸울 필요도 없는 라이한.

에반은 걱정스러운 표정을 짓는 라이한을 보며 그가 무슨 생각을 하는지 바로 알아차렸다.

"봉인은 영원빙하에서 이루어졌고, 마신의 부활은 오직 영원빙하에서만 일어날 거예요. 제가 그렇게 만들었어요. 그러니까 아이들한테는 별일 없을 거예요."

"……다행입니다."

속내를 빤히 읽힌 것이 부끄러웠는지 라이한이 뺨을 긁적이며 고개를 끄덕였다.

"세르피나가 딸을 낳았고 한나는 아들을 낳았습니다. 마신이 죽고 나면, 함께 보러 가시지요."
"그래야죠. ……저도 곧 육아를 배워야 할 테니까."

아무것도 모르는 사이 곧 태어날 네 아이의 아버지가 되어 버린 에반이 시커멓게 죽은 얼굴로 대꾸하자 라이한은 웃음을 터트리고 말았다.
에반은 전혀 웃기지 않았다.
조금도 웃기지 않았다.

—쿠아아아악!
—끄하, 어째서!
—마신, 마신이 계약을 어겼어!

에반 측의 발 빠른 움직임 덕에, 마신과의 융합에서 풀려나 대지로 해방된 몬스터들은 자유를 만끽하거나 봉인되었던 분노를 토해 내기도 전에 차례차례 사냥당하는 신세가 되었다.
봉인에서 풀려난 몬스터 한 마리 한 마리가 능히 나라 하나를 감낭할 수 있는 괴물들뿐이었으나 공교롭게도 이 자리에 모인 이들 역시 전혀 밀리지 않았다.

"우오오오오, 우리의 무기가 먹힌다!"
"열심히 수련한 보람이 있어!"

상대적으로 가장 능력이 떨어지는 종족 연합군조차, 그들이 모시는 신과 함께하는 전투에서 잔뜩 축복을 얻은 덕에 어떻게든 몬스터를 상대로 당당하게 맞서 싸울 수 있었다.

"우리는 위대한 제로 님을 모시는 신의 군대다!"
"사악한 마신의 일부를 우리 힘으로 지워 내자!"
"……함께하지."
"헛, 이 찬란한 보랏빛의 신성력……!"
"좋다, 나도 끼워라!"

단체로 신성력을 뿜어내며 움직이는 그들을 본 세이브와 에녹이 더는 참지 못하고 그들 사이로 끼어들었다.
종족 연합군은 신성력을 뿜어내고 있다 뿐이지 직업 구성으로 따지면 사실 단순했는데, 거기에 세이브와 에녹, 세이브에게 딸려 온 마도사 르나일까지 더해지니 비로소 밸런스가 맞았다.

"저것들이 날 앞에 두고 무슨……."

신, 에반은 뭐라 형용하기 어려운 얼굴로 그들을 보았으나,

이내 모든 것을 포기했다.

자신이 인간의 몸으로 신격을 얻은 데에는 저들의 맹목적인 믿음 또한 영향을 주었을 터였다.

[어떻습니까. 당장이라도 신계에 들어가야 할 것 같은 느낌이 듭니까?]

"그런 덴 안 가."

자신을 꼬드기는 듯한 페이나의 말에 에반은 코웃음을 치며 대꾸했다.

"난 여기서 살아갈 거야."

[그럴 것이라 생각했습니다. 저도 여기 남는 수밖에 없겠군요.]

"대지모신한테 혼나려고 작정을 했네."

[마신을 해치우는 데 일조하고 나면 저의 신과의 계약도 대충 셈이 맞지 않을까 싶습니다.]

페이나는 입가를 한 손으로 가리고 쿡쿡 웃었다. 신의 사도의 기품도 뭣도 없었다.

"아, 이상한 여자 또 있다!"

"하여간 우리 없는 사이 다른 여자들 실컷 만나고 왔지!"

세레이나와 아리샤가 하나로 뭉쳐 달려들었다.

에반은 부정할 수 없었기 때문에, 얌전히 그녀들의 원성을 받아 냈다.

"일단 마신 먼저 상대하자. 그다음엔 다 들어줄 테니까."

"진짜?"

아리샤의 눈이 위험하게 빛났다. 에반은 그녀가 무슨 생각을 하는지 대충 깨닫고는 참담한 심정을 숨기며 고개를 끄덕여 주었다.

"그래, 그러니까 지금은 마신에만 집중하자."

그리움을 견디지 못해 에반에게 덤벼드는 이들을 하수, 마치 에반이 어디에도 다녀오지 않았다는 듯이 이전처럼 대하는 이들을 중수라고 친다면 진정한 고수는 바로 벨루아와 같은 이였다.

"……!"

—여, 영생을 이룰 수 있으리라 약속했거늘…… 끄아아아악!

그녀는 당장이라도 에반의 품에 달려가 안기고 싶은 것을 꾹 눌러 참고 마법을 발했다.

겨울의 대지 위로 모습을 드러내는 몬스터를 차례차례 찢어 죽이며, 놈들의 피와 육신에 깃든 마력을 뽑아내어 자신의 오브로 빨아들였다.

'빨리 끝내자. 끝내고 도련님께 가자.'

마신의 봉인이 풀리고 있는 지금.

현대와 신대를 잇는 존재인 마신이 죽기 전까지는, 그녀는 에반이 완전히 돌아온 것이 아니라고 생각했다.

그를 구속하고 있는 것은 비단 저주만이 아닌 것이다.

'다행히도 저주는 풀렸어. 남은 건 하나.'

에반이 진정으로 자유로워지기 위해선 마신을 죽여야 한다.

그녀는 마력을 끌어모으며 붉은 두 눈을 빛냈다.

"아, 뭐야, 뭔데……."

한편 카틀레야는 망연한 상태였다.

안 그래도 메이벨과 미로엘, 페이나까지 에반과의 관계가 깊은 여자가 많았는데, 알고 보니 그들도 신참이었을 뿐이라니?

이래서야 자신의 입지가 아예 없지 않은가.

아니, 딱히 중요한 일은 아니지만.

자신은 하고 싶은 대로 할 뿐이지만!

"씨잉, 여태껏 따라다닌 나는 본 체도 안 하고 저 여자들한
테……."

그녀는 세레이나며 다른 이들에게 둘러싸인 에반의 모습을
보고 투덜거리며 전방으로 손톱을 그었다.
공기를 가르며 쇄도한 손톱이 바닥에서 솟구치던 검은 형
체의 마물을 찢어발겼다.

"이 전투만 끝나면 절대 못 찾게 숨어 버릴 거야."
ㅡ먀아아!
ㅡ뮤우!

누가 고양이 아니랄까 봐 고양이 같은 생각만 하는 카틀레
야에게, 어느 순간 그림자가 드리워졌다.

ㅡ어쩔 수 없지, 급한 대로 너로 만족해야겠구나.
"응?"

아주 거대한 그림자가 그녀를 집어삼키려는 찰나.
그녀의 몸을 에반의 팔이 감싸는가 싶더니, 그녀를 안은 채
허공으로 뛰어올랐다.

"역시 그렇게 나왔군."

"……."

카틀레야는 그의 품에 안겨 몸을 얌전히 굴혔다. 무슨 일인
지는 모르겠지만 방금 에반이 자신을 구한 것만은 분명했다.

―끄으으으으으으으으!

바닥에서 그림자의 늪이 들끓는 것이 보였다.

그 안에서 서서히 마신의 팔이 기어 나오고 있었다.

―방해하다니! 그릇을 내놔라!

"바보 아냐, 너 같으면 주겠냐?"

에반은 마신의 목소리에 코웃음을 치며 대꾸하면서도 속으
로는 안도했다.

마신이 말하는 그릇이란, 신대에서 네이브가 수행했던 바
로 그 역할을 말하는 것이다.

엘리자베스 또한 강제로 끌려들어 가 마신의 그릇의 일부
가 되었다.

안정적인 두 그릇을 바탕으로 강림했기에 마신이 그리도
굉장한 위용을 보일 수 있었던 것이기도 한데…….

'지금 마신은 다른 그릇을 찾아 카틀레야를 습격했지. 네이브도, 엘리자베스도 마신의 통제를 벗어났다는 얘기다.'

네이브는 마지막 순간 튕겨 나갔고, 엘리자베스는 영원빙하가 아닌 네클레스 월드에 봉인되었다.

에반 입장에선 반쯤 도박이었고, 만약 실패하면 아주 조금 남은 엘릭시르를 투자해서라도 엘리자베스를 구해 낼 생각이었는데…… 지금 마신의 행동으로 미루어 보건대 엘리자베스는 완벽하게 마신으로부터 벗어났다는 확신이 섰다.

"구, 구해 준 건 고맙지만 그렇다고 언제까지 안고 있을 건데."

카틀레야가 당장에라도 부끄러워 죽을 것 같은 표정으로 에반의 가슴팍을 두드렸다.

그녀가 벗어나고자 하는 데에는 사방에서 그녀에게 꽂혀 드는 원한 어린 시선도 한몫할 터였다.

"참아. 마신이 네 몸을 노리고 있거든."
"그러면…… 뭐 어쩔 수 없고……."

카틀레야는 전투가 끝나도 숨는 건 봐주자고 생각했다.
그녀의 귀여운 생각을 에반은 알 리가 없고, 그녀를 품에 안고는 허공에 둥둥 뜬 채 마신의 변화를 살폈다.

허공에 손톱으로 그은 것처럼 얇은 실금이 그어지더니, 그 틈을 비집고 나온 마신의 손이 재차 에반과 카틀레야를 노렸다.

그러나 에반이 솜씨 좋게 그것을 피하자, 그것은 허공을 몇 번이나 쥐며 분함을 표출하곤 본체로 날아가 붙었다.

—후회하게…… 후회하게 해 주지……!

양팔과 양다리, 몸통, 얼굴.

지극히 요염하고 아름답지만 마주하는 모든 이에게 공포감을 자아내는 마신의 육신이 비로소 하나로 이어져 완성되었다.

다만 신대에서와 달리 그릇을 잃고 지극히 불안정한 상태에 빠져 있다는 것을 에반만은 알아보았다.

신대와 같았더라면 지금쯤 많은 이가 제정신을 잃었거나, 못해도 크게 위축될 터였다.

더구나 마신의 그 거대한 육체를 이루고 있던 무수한 몬스터들이 분리되어 각기 죽임을 당하고 있었기에, 신대에 나타났던 때와는 규모 면에서 비교도 안 되게 작았다.

"마신이…… 원래 이렇게 작았던가요……?"

"너무 오랜만에 봐서 까먹었나 봐요, 미로엘. 당연히 이것보다 훨씬 컸죠."

"후흐, 우리 동맹도 이제 슬슬 끝이네요."

미로엘과 메이벨이 의미 깊은 시선을 교환하며 제각기 무기를 들었다.

마신이 나타나는 순간만을 대비하고 있던 어스트레이 단원들도 눈을 빛내며 앞으로 나섰다.

"드디어 마신인가."

"언젠가 이렇게 되리라고 생각하긴 했는데, 진짜로 우리가 마신을 상대하게 되는 날이 오네."

"어차피 도련님이 한 방에 끝내실 텐데 그 전에 때릴 수 있을 만큼 때려 놓죠?"

"잠깐만, 도련님. 이제 때려도 되는 겁니까?"

에반은 바닥에 착지하여, 대지에 다리를 딛고 일어서며 두 눈을 뜨는 마신을 마주 보고 오연하게 외쳤다.

"라이한 형이 어그로 끌어 봐서 끌리면 곧장 다구리다!"

─모든 것을 원래대로 되돌리리라! 이 세상을 신대로 되돌려 주마!

마신이 손을 들어 그대로 내리쳤다.

그 막대한 힘이 오롯이 라이한이 들고 있는 방패로 집중되는 것을 보며, 에반이 외쳤다.

"전원 공격!"

라이한은 에반이 시키는 대로 방패를 앞으로 내밀면서도, 저 거대한—에반이 보기엔 신대에 출현한 것에 비해 한참 작았지만, 그래도 여전히 거대했다—마신의 공격을 정말로 자신이 막을 수 있을까 회의감이 들었다.

하지만 자신이 피하면 피해는 다른 이들에게 퍼질 터. 그는 이를 악물고 자신에게 내재된 신의 힘을 모조리 끌어 올렸다.

"전신이시여어어어어어어어!"

어지간해서는 찾지 않는 신의 이름까지 부르짖으며, 그는 마신의 주먹을 받아 냈다.

콰아아앙! 마치 벨루아가 대마법을 구사하는 듯한 굉음과 함께 라이한의 몸이 뒤로 조금 밀려났다.

그는 방패 너머로부터 전달되어 오며 자신을 옥죄려 드는 사악한 마기와 끔찍한 물리력을 느끼며 눈을 껌벅였다.

그리고 솔직한 감상을 입 밖에 냈다.

"막을 만한데……?"
—한낱 인간 따위가!

탱커 성기사에 어울리는 도발에—본인은 의도하지 않았지

만—마신이 펄펄 날뛰었다.

에반도 아닌 다른 인간이 신의 힘을 막아 내다니! 마신은 용납할 수 없는 현실 앞에 분노하며 자신의 진력을 끌어냈다.

그러나 그릇을 잃고 불안정해진 마신의 육신은 제대로 마기를 정제하기도 힘들었고, 사방으로 파직파직 분출하던 마기는 라이한의 어그로에 휩쓸려 모조리 그의 방패에 집중되었다.

애초에 제대로 된 형태를 띠고 분출된 것도 아니었으므로, 당연히 라이한이 타격을 입을 리도 없었다.

"전혀 안 아픈데……? 다들 지금 공격해!"
—분수도 모르는 인간 놈들이 내게 덤비겠다고!

아무리 작아졌어도 마신은 여전히 수십 미터 크기의 덩치를 자랑하는 괴물이었다.

신대에서 수백 미터 크기의 마신과 상대하지 않았던 이들은, 여전히 마신을 보며 압도되어도 이상할 것이 없었다.

약화되었어도 지금 이것은 마신의 분신도 아닌 본체.

인간으로서 감히 올려다볼 수 없는 위엄과 공포를 한 몸에 지닌, 한때 세상을 만들어 냈던 진정한 '신' 그 자체!

—큭, 네놈들, 모두, 천지를 무너트리는, 신의 힘으, 로……!
"마신이 버그에 걸린 것처럼 라이한 형 앞에서 브레이크 댄

스를 추고 있어……!"

"신의 가호를 받은 인간이 신을 상대하다니. 역시 저 정도
는 되어야 마누라를 두 명 얻을 수 있는 건가!"

"헛소리할 시간에 마신을 공격하라고!"

……그러나 다른 이들을 공격하려 몸을 돌리다가도 결국엔
한 바퀴 멋지게 회전하며 라이한의 방패를 두들기고 있는 마
신에게는 위엄도 공포도 개뿔도 없었다.

신대에서의 전투 당시에는 그래도 마신이 일으킨 지진 따
위의 재앙이 무수한 피해를 불러일으켰지만, 지금은 거기에
들어갈 힘마저 모조리 라이한에게 집중된 탓에 겉으로 보기
엔 그냥 마신이 라이한에게 떼를 쓰고 있는 것처럼 보일 정도
였다.

"공격해! 우리한테 경험치를 나눠 주시려는 도련님의 성
의다!"

"몬스터들 일정량 잡은 사람은 모조리 이쪽으로 붙어! 라이
한 님이 막고 있는 지금이 찬스다!"

사람들도 용기를 얻었다. 어쩌면 처음부터 그런 건 필요 없
었는지도 모른다.

마신이 에반의 귀환보다 늦게 봉인을 풀고 나온 시점에서
이미 승부의 결말은 정해져 있었으니까!

"신님, 이제 봉인 같은 건 안 해도 되겠죠?"

"눈앞의 저것만 깨끗하게 지우면 돼. 마기를 모두 추적해서 끝장내 버려!"

샤레이에게서 날아든 반쯤 농담 같은 말에, 에반은 부츠의 힘을 전력으로 발동하며 대꾸했다.

동시에 고유 무장의 권능을 발동한다.

그의 모든 것을 강화하는 고유 무장의 힘이 그가 신고 있는 부츠로 모조리 쏠리며, 그것을 신의 영역을 뛰어넘는 물건으로 일시적으로 승화시킨다!

—파직, 뿌드득.

데빌 룬으로 승화된 마신의 힘이 그가 지닌 신력을 이겨 내지 못해 마구 비틀리고 훼손되었다.

이전 고유 무장화하며 장갑이 힘을 잃었던 것처럼, 부츠 역시 더는 그와 조화를 이루지 못하게 된 것이다.

하지만 자신이 신이라는 것을 받아들인 시점에서 그 역시 이미 이것을 각오하고 있었다.

지금은 이 부츠가 '마지막'으로 발휘한 힘을 짜내어, 마신을 옴짝달싹하지 못하게 옥죈다!

—끄아아아아아아아아아아!

"지금! 전원! 공격해!"

라이한이 모든 마기를 막아 내고, 에반이 모든 움직임을 정지시켰다.

마신은 이제 덩치가 거대한 점수판에 불과하다.

어디를 어떻게 맞혀도 데미지가 1이라도 들어가기만 하면 막대한 경험치를 나눠 주는 점수판!

"우리의 위대한 신, 제로의 이름으로!"

"이름 없는 신…… 젠장, 이젠 아니지! 신의 이름으로!"

"그분께서 우리와 함께하신다! 우리의 창에 그분의 힘이 깃든다!"

세이브를 필두로 에반의 신성력을 직접적으로 휘두르며 날뛰는 연합…… 신의 사제단이 먼저 힘을 모았다.

한 명 한 명의 힘은 보잘것없다지만, 세이브는 과연 요마대전 3의 주인공답게 자신과 뜻을 같이하는 이들의 기운을 한데 모아 공격하는 굉장히 주인공다운 필살기를 각성한 상태였다.

많은 세월 수련해 고위 사제로 전직한 에녹의 보조를 받아, 할버드 끝에 모든 이의 신성력을 모아 마신에게 일직선으로 쏘아 낸다!

―끄아아아아아아아!

"우리도 질 수 없지! 공격, 공격해!"

"신인족의 마지막 소명이야!"

에반이 어린 시절부터 정성껏 키워 낸 어스트레이의 단원들도 눈에 불을 켜고 달려들었다.

그들은 이것이 단순한 경험치 나누어 주기가 아니라는 것을 알았다.

에반이 결전을 현대로 끌고 온 것은, 단지 신대에서 마신을 처리할 수 없었기 때문만이 아니라.

마신은 지금 이 자리에서 모두의 힘으로 쓰러트려야 의미가 있기 때문이기에!

마신과 다른 신들의 세력 싸움에 희생될 운명이었던 신인족들이, 그 운명을 이겨 내고 일어서는 순간이 바로 지금인 것이다!

"우리도 가자."

"그래."

요마대전4의 주인공, 네임이 이끄는 파티 또한 어스트레이 단원들과 합을 맞추었다.

네임은 이들이 토해 내는 울분을 보며 비로소 이들과 자신의 일행이 함께할 수 있음을 깨달았다.

단지 자신의 죗값을 갚기 위해서 살아가는 것이 아니라, 자신의 뚜렷한 의지로 살아가는 것.

그 길이 보였기에, 최선을 다해 앞으로 내달렸다.

"레오, 우리도 한 손 거들죠!"

"난 이미 한번 상대해 봤으니 됐…… 아, 알겠어. 알겠다니까!"

"하, 정말 마신을 상대하는 날이 올 줄이야…… 일로인, 준비는 됐소?"

"물론이죠. 에이르, 도와주겠니?"

"응. '지금이라면' 나도 저걸 공격할 수 있을 것 같아."

"아빠, 나도!"

"리안!?"

[스읍, 좋아. 까짓 거 해 보지! 멀쩡한 인간이 신으로 거듭나는 세상인데 피조물이라고 창조주를 공격하지 못할까!]

요마대전2의 주인공 파티.

한때 위기에 처했던 세상을 지켜 낸 영웅들과, 세상을 파괴할 뻔했던 장미 여왕도 지금은 손을 잡고 앞으로 나섰다.

어차피 마신에게 공격할 구석은 많았기에, 사양할 것도 없었다.

"다시 만나지 못하게 될 줄 알았는데."

"그런 얘기는 저 마신을 해치우고 하기로 하지 않았던가요? 후보님."

"저기, 그 문제에 대해서는 정말로 하고 싶은 말이 많은
데…… 아아, 몰라! 일단 함께하죠!"

"후후. 힘이 넘쳐 나네요. 아직 '조건'은 유효한 모양이야."

머나먼 과거 에반에게 구원받고, 오직 그에게 은혜를 갚기
위해 힘을 기른 태초의 마녀들.

지금 이 자리에 없는 막내를 떠올리며, 두 명의 마녀는 마
력을 있는 힘껏 끌어 올려 마신을 공격했다.

마신을 죽이는 그 순간까지 설정했던 조건은 아직 유효.

마신을 상대하는 지금, 둘은 그 어떤 마도사보다도 강대한
마력을 다룰 수 있었다.

"마땅히 죽어야 하는 모든 것들을 위해."

반면 위대한 마녀의 핏줄을 이은 최강의 마녀 벨루아는 마
신만을 상대한다는 제약이 없이도 응당 선조보다 강대한 마
력을 발휘할 수 있었다.

그녀에게는 느껴졌다.

이 대륙을 온통 뒤덮고 있는, 자신의 선조가 만들어 놓았으
며 루이즈가 발동시킨 마법진이.

에반의 족쇄를 헐거이 만들기 위해, 마신을 약화하기 위해
만들어진 그것은 어째선지 자신에게도 막대한 힘을 보태 주

고 있었다.

마법진에 그러한 의도는 없었을 텐데, 어째설까.

하지만 의문을 가질 시간에 그녀는 움직였다.

"오직 죽어야 하는 것들만을 죽음으로!"

영원빙하 일대가 검보랏빛의 마력에 휩싸여 번쩍였다.

봉인 해제에 따라 지상으로 솟구쳐 올랐던 그 무수한 이계의 존재들, 조각조각 떨어져 나온 마신의 파편들이 일소되는 순간이었다.

그러고도 여력이 남은 보랏빛 마력은 죽음의 뜻을 품고 마신을 덮쳐 막대한 데미지를 입혔다.

—크으으으으아아악!

[대지모신이시여, 힘을 빌려주소서!]

자신이 섬기는 신을 버려두고 남자를 따라 이세계로 날아갔던 주제에 당당히도 대지모신의 이름을 부르짖으며 마신에게 돌격하는 페이나.

그런 사도에게 대지모신은 인자하게도 힘을 내려 주었다. 왜냐면 이 자리에는 대지모신의 사제가 없었기에, 그나마 페이나가 대지모신의 힘을 받아들일 수 있는 유일한 존재였기 때문이다.

[이것이 신의 징벌이다!]

—큭, 약해 빠진 신의 힘 따위……!

"나르!"

[큐우우우우우우우!]

한때 이 땅에서 죽어 나간 모든 드래곤을 대표하여, 나르가 있는 힘껏 브레스를 쏘아 냈다.

세레이나의 테이머로서 지닌 힘을 모조리 받아들인 녀석의 브레스는, 이미 드래곤보다는 신의 권능에 가까운 힘을 품고 있었기에.

마신의 가슴팍에 큼지막한 구멍을 뚫어 버리고도 여력이 남아 그녀의 전신으로 꺼지지 않는 겁화를 퍼트려 타오르게 만들었다.

"정령용은 저런 거 못 해?"

"몸통 박치기라면 가능합니다만."

"그럼 됐어."

"대신 제가 공격하죠."

하이엘프 미로엘은 고유 무장 푸른 바람을 들었다.

자신이 발을 딛고 선 대지를 통해 세계수 어머니께서 힘을 전달해 주는 것이 느껴졌다.

실로, 실로 긴 기다림이었다.

이 순간이 오기까지 자신은 얼마나 참고, 또 참아야 했던가.

그를 안고 싶어도, 안기고 싶어도 그러지 못해 홀로 인내해야 했다.

하지만 그것도 이젠 끝이다.

돌아온 에반의 눈빛을 보는 순간 너무 안도한 나머지 울음을 터트릴 뻔했다.

자신이 기억하고 있던 그가 돌아왔다.

자신에게 약속한 그가 돌아온 것이다.

이젠 절대로 어디에도 보내지 않으리.

그의 곁에서 떨어져 주지 않을 것이다.

그러니 지금은, 그것을 방해하려 드는 유일한 악적을……!

"죽어!"

"빨리 죽어 버려!"

그때 미로엘이 쏜 화살과 함께 뛰쳐나가는 이가 있었다.

예리하고 날카롭게 뻗은 레이피어에 세상을 침몰시킬 수도 있을 법한 폭풍을 휘감아, 눈에는 울분과 증오를 담아, 날씬한 다리로 대지를 박차고 뛰어올랐다.

"나도…… 나도 에반이랑 아이 만들 거야!"

"으아아아아, 부단장이 미쳤다!"
"부단장이 맨몸으로 마신한테 개돌한다! 말려, 막아!"
"흐으아아아아압! 빨리 죽어 버려어어어어어어!"

한 점에 집중된 폭풍이, 마신에게 닿는 그 순간 해방되며 마신의 몸통을 곤죽으로 만들어 놓았다.
인간의 분노가 신에게 닿는 순간이었다.
그 분노를 온몸으로 느끼며, 신 역시 마찬가지로 분노했다.

─내가! 세상의 마땅한 주인이 되어야 할 내가 이렇게 아무 의미 없이 쓰러질 수는 없어!
"엇!?"

마신은 기적을 일으켰다.
라이한에게 집중되던 마기의 흐름을 끊어 내는 데 성공한 것이다.

"어딜⋯⋯!"
─지상에 강림한 신이여, 나의 제물을 내놓아라!

라이한이 다시 어그로를 잡으려 했으나 마신은 완전히 너덜너덜해진 몸을 완전히 벗어 버리고 시커먼 구슬과 같은 자신의 핵만을 남겨 에반에게로 돌진했다.

아니, 정확히는 에반이 보호하고 있던 카틀레야를 향해 쇄도한 것이다.

　─네가 정성 들여 준비한 그 아이를 내가 받아 가마!
"꺅!?"
"후."

　공간을 격하고 날아드는 마신의 핵,
　그것이 카틀레야의 심장에 박히기 전에.
　에반이 그것을 잡았다.

　─쿠흐흐흐, 그것이 네 실수다!

　마치 에반이 그러기를 기다리고 있던 것처럼, 마신은 웃음을 터트렸다.

　─너의 몸과 영혼을 집어삼켜 주마! 나와 하나가 되자꾸나, 너의 동생이 그러했던 것처럼 너와도 궁합이 아주 잘 맞을…….
"아무래도 아직 내 주특기에 대해 잘 모르시나 본데."

　에반은 자신의 손바닥에 박혀 들려 시도하는 마신의 핵을 보며 고소하고는,

"내가 아홉 살 때부터 이것만 해 온 인간이야."
—끅, 하악……!?

있는 힘껏, 잼잼을 했다.

❀ ❀ ❀

숨 쉬는 것보다도 익숙한 동작으로 에반이 마신의 핵을 쥐어 부순 그 순간.
세상이 일순 멈추었다.
너무나 막대한 에너지가 그 안에 담겨 있었기 때문에, 그것이 소실되는 순간 세계의 일부분이 텅 비었기 때문이다.

누구나가 침묵할 수밖에 없었다.
기나긴 세월 세상에 봉인되어 있던 신의 소멸 앞에.
누구나가 주목할 수밖에 없었다.
에반의 손아귀에서 터져 나가는 마신의 마지막 생명에.

"……."
"……."

영원빙하를 적막감이 뒤덮었다.
마신의 죽음과 동시에 그들의 몸에 닥쳐온 '레벨 업'이라는 이름의 변화에, 조용히 전율하고 황홀해했다.

'와, 나까지 레벨이 오르네. 더 오를 레벨이 있긴 있었구나…….'

에반이 옅은 미소를 짓고 그것을 즐기던 그때, 돌연 뒤에서 누군가 수군거리는 목소리가 들렸다.
에반의 신도들이었다.

"아무리 그래도 저건 아니지……."
"마신이 무슨 슬라임도 아니고……."
"이 부분은 나중에 편집해. 성경의 클라이맥스니까 신경 좀 팍팍 써서."
"알겠습니다."
"……."

에반은 지방방송을 신경 쓰지 않았다.
그저 마신의 기운이 완벽하게 소실되었다는 것을…… 정말로 한 톨 남기지 않고 마신이란 존재가 소멸했다는 사실을 확인한 후, 그 자리에 철퍼덕 주저앉아 버렸다.

"후우…… 끝났다."
"……끝났어?"

"진짜?"

"마신이······."

"도련님!"

마신뿐만 아니라 영원빙하의 대지 위로 해방되었던 모든 몬스터를 학살하는 작업을 완료한 벨루아가 더는 참지 못하고 그의 품으로 몸을 날렸다.

"많이 참았네, 루아. 고생했어."

"흑, 도련니이이임······ 흐끅, 보고 싶었어요······."

"나도 보고 싶었어. 정말 많이······."

주저앉아 있던 에반은 솜씨도 좋게 그런 벨루아를 받아 품에 안았다.

벨루아는 여태껏 참고 있던 눈물을 터트리며 그의 가슴께에 얼굴을 묻었다.

서로가 서로를 생각하는 것이 보여 눈이 부셨다.

그들이 평범한 운명이었다면 여기서 막을 내려도 될 만큼 아름다운 광경이었으나, 안타깝게도 이 세상엔 그것을 받아들이지 못하는 이가 무척 많았다.

"벨루아만 치사해, 나도!"

"다 비켜, 비겁한 배신자들아! 에반은 당분간 내 거야!"

"죄송하지만 저도 양보할 수 없습니다."

"도련니이이이임!"

"뭐, 뭐야, 조금 전까지 그 자식 품에 있던 건 나거든? 딱히 소유권을 주장할 생각은 없지만…… 이이잇!"

[과연, 인간들은 이런 식으로 남자를 쟁탈하는군요. 좋은 지식을 얻었습니다. 저도 참여합니다!]

에반을 사랑하는 여자들이 한꺼번에 그를 향해 덤벼드니 난장판도 이런 난장판이 따로 없었다.

에반과 루아는 순식간에 밑에 깔리고 말았다.

루아가 기겁하며 자신과 세레이나의 아이를 지키기 위한 결계를 펼쳤다.

"진정해! 마신을 상대하느라 지치신 도련님한테 무슨 짓이야!"

샤인이 드물게도 바른말로 일갈하며 여자들을 에반에게서 떼어 냈다.

그러더니.

"도련니이이이이임!"

갑자기 왈칵 울음을 터트리며 에반을 부둥켜안는 것이 아닌가.

"도련님 없는 셰어든에서 제가 얼마나 개고생을 했는지 아십니까! 왜 이렇게 늦게 오셨습니까!"
"앗, 샤인이 비겁하게 우릴 밀어내고!"
"샤인!?"
"에이이, 이렇게 된 이상 다 같이 덮쳐!"
"우와아아아아악!?"
"단장니이이임!"
"사랑해요! 단장님!"
"단장 오빠야!"

진정되나 싶었던 국면이 다시 혼란으로 빠져들었다.
남녀 가릴 것 없이 어스트레이 단원들이 모조리 에반을 덮치니, 다른 이들은 그저 그것을 아연한 눈으로 바라볼 따름이었다.

"신님······ 정말 많은 사랑을 받고 계시네."

한편 마신이 죽는 순간 모든 제약이 풀리는 것을 느끼며 가만히 있던 샤레이는 에반이 많은 사람에게 뒤덮여 보이지 않게 되자 눈을 크게 뜨며 슬픈 표정을 지었다.
자신은 함께 과거로부터 날아온 페이나 카틀레야처럼 뻔

뻗하지 못했다.

그가 있어야 할 자리가 이곳이라는 것을 알게 된 순간, 과거의 인물인 자신은 그에게 다가갈 자격이 없는 것이 아닌가 하는 생각이 들었다.

"뭘 망설이고 있어, 샤레이? 가서 껴안아 버려."

그때 그녀에게 다가온 레디네가 장난스러운 말투로 말하며 그녀를 툭 밀었다.

샤레이는 한 발짝, 밀려나며 몸을 비틀거리다가는 눈을 크게 떴다.

"말투가……."

"제약이 완전히 풀리고 모든 것이 돌아왔으니까. 하지만 정말 묘한 기분이네. 내 언니라는 걸 알면서도 한편으론 어린 소녀처럼 느껴져 흐뭇하기만 하니."

그녀의 말마따나 지금의 레디네에게선 과거 자신의 동생이었던 마녀 아르파의 흔적이 엿보였다.

조금이나마 그녀가 가깝게 느껴진 샤레이는 그녀에게 말을 놓으며 입술을 삐죽거렸다.

"너어, 그래도 네가 내 동생이라는 사실은 변하지 않아."

"응, 에반 내 아들."

"정말 너무해, 그건 정말이지 예상 못 했단 말이야."

"후후, 나도 차마 예상도 못 했어…… 쿡, 쿠훗."

"쿠큭."

두 마녀는 결국 웃어 버리고 말았다.

시간의 장난은 무정했고 아주 조금 잔혹했지만, 그래도 둘은 지금 서로 마주 보고 서 있을 수 있다는 사실에 행복했다.

"나즈가 있었다면 좋았을 텐데."

"나즈는 죽는 그날까지 정말 열심히 살았어. 많은 마녀들을 낳았고, 그들로 하여금 우리 에반을 도울 준비를 착착 진행시켰으니까. 그리고……."

레디네는 에반의 품에 안겨 다른 경쟁자들을 결계로 막아 내고 있는 벨루아를 바라보며 낮게 웃었다.

"나즈를 무척 빼닮은 후손도 있고."

"응, 정말……."

"자, 그럼 이제 가 봐."

"그, 그래도 동생이 보는 앞에서 어떻게……."

"지금 안 가면 평생 못 가게 할 거야."

"……!"

그 말이 결정타였다.

샤레이는 더는 참지 못하겠다는 듯 이를 악물고 에반을 향해 일직선으로 달려갔다.

"시, 신님! 저도, 저도오오! 사랑해요!"

"흐후, 좋을 때야."

난장판의 일원을 늘려 버린 레디네는 언니가 에반에게 다가가려 다른 이들과 한데 섞여 다투는 꼴을 보며 흐뭇하게 웃었다.

평생 짊어지고 살아온 짐을 이제야 내려놓을 수 있었다.

그 순간 몸에서 힘이 빠져나가는 것이 느껴졌다.

가볍기 그지없던 몸이 천근처럼 무겁게 느껴진다.

아니…… 자신의 영혼이, 몸과 유리되려 하고 있었다.

"아…… 응, 한계려나?"

예감은 하고 있었다.

비정상적인 수단으로 인간의 한계를 뛰어넘어 오랜 세월을 살아온 자신은.

마신이 죽는 순간, 오래전 무시했던 그 한계와 다시 마주하여…… 이번엔 순순히 패배하게 되리라는 사실을.

마신을 죽이는 것은 그녀의 삶의 오랜 목표이기도 했기에,

그것에 불만은 없었다.

이미 무척 오랜 세월을 살았으니 삶에 남은 미련도 없었다.

없어야 하는데.

없으리라 생각했는데…….

아무래도 그것이 그리 쉽게 떨쳐 낼 수 있는 것이 아닌지라.

"역시 싫네……."

가능하다면 에반의 아이는 안아 보고 나서 가고 싶었는걸.

에릭이 좋은 여자를 만나 결혼하는 것을 보지 않으면 안심이 되지 않을 것 같은데.

엘리자베스는 무사하겠지? 에반이라면 이미 모든 조치를 취해 놓았을 거야.

미리엄에게는 끝까지 미안한 마음뿐이야. 그이를 사이에 두고 벌였던 유치한 경쟁들이, 그녀에게는 아마도 상처가 되었을 텐데.

샤레이는 에반과 행복할 수 있을까. 부디 내 그림자를 많이 느끼지 않으면 좋겠는데. 그녀는 행복할 자격이 있는 사람이니까.

벨루아는…… 아마도 짐작하고 있겠지. 그 아이에게 이것저것 다 떠맡긴 것 같아 미안하네. 하지만 에반의 가장 옆자리를 줬으니까, 부디 시어미가 남기는 짐도 받아 주길.

그 사람은…… 멋진 남자고, 미리엄도 있으니까.

나 없이도 잘해 갈 거야.

많이 슬퍼하지 않았으면 좋겠는데.

아니, 실은 슬퍼해 줬으면 좋겠어.

펑펑 울어 줬으면 좋겠어.

하지만 역시, 나 없이도 행복했으면 좋겠네.

편지는 남기고 왔지만, 직접 얼굴을 마주 보고 작별을 말할

수 있었으면 좋았을 텐데.

아니, 그랬더라면 여기까지 오지는 못했으려나.

조금 추해졌을 테니까, 역시 이게 정답이었어.

끝까지 이기적인 여자라 미안해요.

제대로 작별하지 못해 미안해요.

그래도…… 아쉽네.

아아, 정말로…….

사랑했는데.

"흐아, 큰일 날 뻔했네."

"응?"

모든 것을 떠나보내며 눈을 감은 그때 아주 가까운 곳에서

아들의 목소리가 들려왔다.

그녀가 눈을 뜨니, 사람들 틈에 파묻혀 있던 에반이 어느 순

간 레디네의 눈앞에 서 있었다.

이미 반쯤 투명해져 가고 있던 레디네는 애써 짓궂은 표정을 지으며 아들을 타박했다.

"아들, 엄마가 보여 주고 싶지 않은 모습을 억지로 보려 들면 안 돼요."

"괜히 모르는 척하지 마세요. 제가 다 준비했어요."

에반이 품에서 뭔가를 꺼냈다.

레디네는 그것을 보며 고개를 저었다.

의미가 없는 일이라고 생각했기 때문이다.

"에반, 이건 수명이란다. 난 지금 자연스러운 결말을 맞이하고 있는 거야."

"아니, 어머니가 신대에 그 마법으로 스스로에게 제약을 거는 걸 제가 다 봤는데 진짜 아무런 준비도 안 할 줄 알았어요? 자연스럽고 자연스럽지 않고는 이제부터 제가 정하는 거예요."

"그런 억지가 어딨니."

"어머니 아들이 신이에요. 얼른 입 벌려요, 얼른."

아들의 부릅뜬 눈에 압도되어 레디네는 그만 그가 시키는 대로 입술을 벌렸다.

에반은 보랏빛으로 빛나는 액체가 몇 방울 담긴 플라스크를 들어, 그녀의 혀에 신중히 내용물을 떨어트렸다.

"엘릭시르를 열화시키느라 고생하긴 했지만, 이 정도면 아마 충분할 거예요."
"……아들, 내가 지금 마신 게 뭐라고 했니?"
"삼켜요, 얼른."

꿀꺽.
레디네의 목구멍으로 신의 음료가 넘어간 직후.
그녀의 몸에 모든 감각과 마력이 돌아왔다.
그 마력의 성질이 다소 변질되기는 했으나 그 안에 가득 담긴 생명력만은 진실된 것이었다.
레디네는 고작 몇 방울의 액체가 만들어 낸 변화에 그저 눈을 깜박일 뿐이었다.

"아니, 어떻게 이게……."
"아들 하난 잘 뒀죠?"
"아아, 정말."

히죽 웃는 아들을 따라 레디네도 입가에 미소를 띠었다.
하지만 누 눈 가득 치오른 눈물이 흐르는 것은 막을 수가 없었다.

"멋지게 퇴장하려고 그랬는데 이래 버리면 엄마 구질구질해지잖니."

"아버지는 생각이 조금 다를걸요. 형도, 미리엄 어머니도, 엘리자베스도."

"마님…… 어머님."

에반의 옆으로 다가온 벨루아가 레디네의 차가운 손을 잡고 온기를 더해 주었다.

"이젠 숨기지 않으셔도 돼요. 곁에서 모실게요."

"그건 1부인인 내 몫이거든!? 어머님, 저 진짜 잘할게요!"

"아르파……."

벨루아와 아리샤가 경쟁적으로 레디네의 손을 잡는 와중, 샤레이가 원망스러운 눈으로 레디네를 쏘아보았다.

"그렇게 떠났으면 평생 원망했을 거야."

"아하하…… 정말 가망이 없다고 생각했는데."

에반이 대단하다는 것은 그 누구보다 자신이 가장 잘 알고 있다고 생각했는데, 그게 아니었다.

마땅히 죽어야 할 목숨까지 되돌리는 문자 그대로 신의 이적 앞에 그녀는 그저 애매한 미소를 띨 뿐이었다.

"돌아가면 아버지한테 솔직히 말씀드리고 사과하셔야 해요. 상처 많이 받으셨을걸요."

"아들한테 설교를 듣는 건 처음이야…… 하지만 반박할 수가 없네. 응, 그렇게 할게."

"하지만 살았으니까 됐어요. 마신은 죽고 우리는 살았어요. 이걸로 된 거예요."

에반은 레디네가 모든 면에서 완벽하게 살아났다는 것을 확신하고, 입가에 미소를 머금은 채 말했다.

"그럼 이제 엘리자베스를 만나러 가요."

엘리자베스가 눈을 떴을 때, 그곳은 온통 어두컴컴한 좁은 방 안이었다.

"여기, 어디야?"

갑갑함을 느낀 그녀는 곧장 힘을 끌어 올려 공간 자체를 파괴하려 들었으나 무리였다.

자신에겐 한 톨만큼도 힘이 남아 있지 않았으니까.

오히려 움직이려 용을 쓸수록 묘한 나른함이 덮쳐 와 그녀의 의식을 흩어 냈다.

"오빠……?"

불안해진 그녀는 고개를 이리저리 돌리며 에반을 찾았다.
그러나 물론 아무것도 느껴지지 않는다.
에반은 그녀의 곁에 없다.
소녀는 나약했다.

"오빠…… 히끅."

그때.
끝내 울기 시작한 아이의 귓가에, 누군가 다가와 소곤거렸다.

─오빠를 찾아서 무엇을 할 셈인데?
"누구?"
─오빠를 찾으면, 뭐가 하고 싶은데?

뒤를 돌아보아도 그곳엔 어둠뿐.
하지만 목소리는 변함없이 그녀에게 지극히 가까운 곳에서
소곤거리고 있었다.
지금 어울려 주는 것이라곤 그 목소리뿐이니, 엘리자베스
는 그것에 순순히 대꾸해 주기로 했다.

"오빠한테 안아 달랠 거야."

―그다음엔?

"뽀뽀해 달라고 해야지."

―그럼 그다음엔?

"그다음엔, 그다음엔……."

엘리자베스는 에반의 모습을 떠올리며 작게 웃었다.

그의 따스한 품을 떠올리니 몸이 둥실둥실 떠오르는 듯했다.

불안했던 마음이 오빠를 생각하는 것만으로 조금씩 잔잔해

져 가는 것이 느껴졌다.

기껏 잔잔해진 마음에 파문을 일으킨 것은 그녀에게 오빠

를 떠올리게 한 그 목소리였다.

―뭐, 상상해 봤자 아무 의미도 없는 일이겠지만.

"뭐?"

부풀어 오르던 아이의 상상을 목소리가 허무하게 깨트려

버렸다.

―그에겐 소중한 사람이 많잖아. 넌 그냥 친동생일 뿐이고.

"하지만 오빠는 나한테 엄청 상냥해."

―맞아. 넌 동생이니까. 동생이니까 어쩔 수 없이 챙겨 주는

거지. 만약 그렇지 않았다면, 그가 널 거들떠보기나 했겠어?

"……."

─그가 사랑하는 여자는 많아. 그는 동생보다 다른 여자들과 함께 있는 쪽이 더 행복할 텐데, 너는 그저 동생이라는 이유로 그에게 귀찮게 달라붙고 있잖아.

엘리자베스는 침묵했다.

─지금도 봐, 네가 쓸데없이 끼어든 탓에 그가 응당 해야 할 일을 하지 못하고 주저앉았지. 너의 도움은 아무런 필요도 없었는데, 네가 괜히 나서서 그를 곤란하게 만들었어.

"……."

─그러니 그가 너를 진심으로 마음에 두고 있겠어? 그에게 있어 너는 정말로 귀찮지만 어쩔 수 없이 챙겨야 하는 동생일 뿐이야. 그가 너 때문에 얼마나 많은 길을 돌아서 가야만 했는지, 너도 잘 알고 있잖아?

엘리자베스는 서서히 깨닫기 시작했다.
이 목소리가 자신의 것이라는 사실을.

─맞아.

목소리 역시 그녀의 생각을 귀신같이 읽어 내곤 긍정했다.

―나는 너야. 조금 더 이성적인 너야. 마지막 순간 마신에게 뛰어든 건 정말 바보 같은 짓이었다고 생각하는 나야.

"하지만, 그땐……."

―마신 안에 있었어도 상황이 어떻게 돌아가는지는 전부다 파악했잖아? 오빠는 나를 위해 엄청난 고생을 해야만 했어. 그 때문에 희생을 강요당한 사람도 있어.

"오빠는 결국 나를 구해 줄 거야."

―정확해. 오빠는 뭐든지 할 수 있으니까. 하지만 그다음은? 이렇게나 오빠를 고생시킨 난데, 과연 오빠가 날 계속 사랑해 줄까?

엘리자베스는 가슴이 욱신거리는 듯했다.

―그럴 리가 없어. 귀찮게 달라붙던 꼬맹이 동생이 되돌릴수 없는 사고까지 쳤는걸. 나는 짐 덩어리야. 당장이라도 내팽개치고 싶은 짐 덩어리. 오빠가 이런 나를 봐 줄 리가 없어.

"흐으……."

―그러면 어떻게 해야 할까? 오빠한테 사랑을 받으려면 어떻게 하는 게 좋을까?

"정말로 죄송하다고 하기."

―꼬맹이구나. 그래선 입지가 점점 좁아질 뿐이야.

"하지만 내가 잘못했으니까……."

―넌 사고뭉치 여동생으로 남고 싶어? 난 아냐.

목소리가 강렬해졌다.

—난 오빠가 갖고 싶어.

덜컥, 심장이 내려앉는 소리가 났다.

—그러려면, 여동생으로는 안 되는 거야.
—답은 간단하지.
—너도 알고 있을 거야.
—방해하는 것들을 부수고 차지하는 거야.
—여태까지 네가 그래 왔던 것처럼.

홍수처럼 쏟아지는 사악한 귓속말의 세례에 엘리자베스는 귀를 꼭 막고 고개를 흔들었다.
하지만 이제 목소리는 그녀의 내부에서 솟아나고 있었다.

—다른 누군가가 말하는 게 아냐.
—내 자신이 그렇게 생각하고 있는 거야.
—넌 충동과 마주하고 있을 뿐이야.
—진실된 충동.
—그와의 관계가 어긋날까 두렵지?
—자신의 실수가 불러올 결과가 무섭지?
—그것들을 없었던 일로 하려면, 네가 위에 서는 수밖에

없어.

"내가······?"

목소리는 점점 더 과격해졌다.

빗줄기처럼 쏟아지는 목소리에서 칼날이 솟아난 듯했다.

─오빠를 깔아뭉개면 돼.

─힘으로 누르고 차지하는 거야.

─방해가 되는 것들은 치워 버리자.

─그렇게 되면 변명할 필요도 없어.

─벨루아도, 세레이나도, 아리샤도.

─아빠랑 큰오빠도 귀찮아. 없애 버려.

─오빠 외에는 아무것도 필요 없잖아?

─힘은 모든 것을 정당화해.

─브레이커인 네가 누구보다도 잘 알고 있을 거야.

엘리자베스는 목소리를 부정할 수 없었다.

자신의 마음 깊숙한 곳에 숨겨 놓았던 속내가 넘쳐흘러 범람하고 있었다.

하지만 그렇기에 동시에 깨달을 수 있었던 것이 있었다.

"난······ 인간이야."

─하지만 네가 원하는 걸 이루려면 그런 하찮은 껍데기는

벗어던져야 해.

"아니, 난 짐승이 되지 않을 거야."

—아니, 영락이 아냐. 넌 영락이 아닌 진화를 할 기회를 얻은 거야.

"이제 알겠어."

엘리자베스의 마음속에서부터 펑펑 솟아나고 있는 목소리.

그것은 어디까지나 엘리자베스의 속내인 것처럼 그녀에게 파멸을 촉구하는 괴물의 목소리다.

"이젠 네가 내가 아니라는 걸 잘 알겠어."

엘리자베스는 입술을 삐죽이며 손을 들었다.

그 손에 어느덧 찬란한 신의 힘을 발하는 룬이 새겨진 모닝스타가 나타났다.

"왜냐면 난 그런 어려운 말 모르니까."

콰직!

내리쳐진 모닝스타가 검은 공간을 반쯤 부쉈다.

그녀는 나머지 한 손에도 똑같은 모닝스타를 불러내, 그것으로 사방을 내리쳤다.

"오빠한테 죄송하다고 하고, 안아 달라고 할 거야."

—하지만 그래선, 네가 원하는 걸 얻을 수…….

"난 내가 원하는 것만을 파괴해."

파괴자의 권능, 그것은 절대의 힘.

앞을 가로막는 모든 것을 부수고, 그녀만의 길을 만들어 내는 힘이다.

"내가 파괴하고 싶은 건 오빠가 아니라, 처음부터 너였어!"

—어리석, 은……. 이건, 말도…….

쾅!

콰아아앙!

콰아아아아앙!

무너져 내리는 검은 세상 너머로 눈부신 빛이 쏟아져 들어온다.

그 위에서 자신을 향해 뻗어 내밀어지는 손을, 엘리자베스는 발견할 수 있었다.

"오빠!"

"리즈!"

힘껏 내뻗은 손이 오빠의 손과 맞닿은 순간.
엘리자베스는 강하게, 도약했다.

❀ ❀ ❀

"······리즈, 좀 달라지지 않았니?"
"나 그대론데?"

네클레스 월드에 봉인되었던 엘리자베스를 그 밖으로 끄집
어낸 직후, 에반은 자신의 품에 안겨 오는 동생을 안아 주며
뭔가 잘못된 것 같다는 생각을 했다.

"아니, 커진 건 알고 있었지만 거기서 더 커진 것 같은
데······."

더구나 길게 자라나 구불거리는 동생의 붉은 머리카락에
서, 어딘가 모르게 요염함이 느껴졌다.
전체적으로 엘리자베스에게 어른스러운 분위기가 감돌
았다.
순수한 그녀에게는 어울리지 않을 것 같던 퇴폐적인 느낌
조차 받았다.

"하지만 분명 마신의 기운은 다 사라졌는데."

"응, 부쉈어!"

"부쉈어!?"

"응!"

에반이 식은땀을 흘리며 반문하자 엘리자베스는 자신이 겪은 일을 간추려 설명해 주었다.

설마 자신의 속내까지 다 드러낼 수야 없었지만, 대충 사악한 목소리가 자신의 충동을 부추겨 반대로 그것을 작살내 주었다는 얘기를 한 것이다.

요마대전 시리즈 그 어디에도 나오지 않았던 얘기에 에반은 압도되어 중얼거렸다.

"무슨 주인공 각성 이벤트 같네."

"도련님이라면 그런 말씀 하실 줄 알았습니다."

"하지만 그건 정말로…… 그래선가."

사실 마신과 융합했던 엘리자베스를 완전히 이전과 같은 상태로 되돌리는 것은 무리가 있었다.

하지만 설령 부산물이 같이 딸려 나온다고 해도, 일단 마신을 죽이고 나면 그것들을 떨쳐 내고 원래의 그녀를 되찾을 수 있으리라는 계산을 했었는데…….

막상 엘리자베스를 되찾고 보니 아주 조금, 그의 계산과 일이 다르게 돌아간 것이다.

'나도 마신에 대해 전부 알고 있던 것도 아니고.'

에반이 마신을 완벽히 죽여 경험치까지 얻었다 해도, 마신 같은 초월적인 존재라면 볼드X트가 호크룩스를 남겨 두듯 다른 조치를 취했을 가능성이 있었다.

그런 게 있었다면 당연히 마지막까지 남은 마신의 파편, 즉 엘리자베스에게 적용되었겠지.

추측건대 마신이 마지막으로 엘리자베스를 통해 뭔가를 이뤄 보려고 술수를 부렸는데, 그것이 엘리자베스 본인의 손에 완벽하게 작살이 나고 오히려 마신이 엘리자베스의 양분이 되었다고 보면 되겠지.

그리고 마신의 계획과는 일이 다르게 돌아간 결과……

"엘리자베스, 기분은 어떠니?"
"우웅…… 뭐든지 할 수 있을 것 같아!"

그렇게 말하는 엘리자베스의 손에 갑자기 머리빗이 나타났다.

그녀는 마침 머리를 빗고 싶은 참이었다며 까르륵 웃곤 에반에게 빗을 내밀었다.

에반은 순순히 그녀의 머리를 빗겨 주며 역시, 하고 확신했다.

'아무래도 리즈가 마신의 힘을 이어받은 것 같은데.'

식은땀이 흘렀다.

가뜩이나 통제 불능이었던 여동생이 점점 돌아올 수 없는 영역에 발을 들이고 있지 않은가!

마신이 죽었다고 확신은 했지만, 혹여나 마신의 힘이 엘리자베스에게 정신적으로 좋지 않은 영향을 끼칠까 걱정이 되기도 했다.

"오빠."

그러나 불안한 생각을 하며 빗을 놀리던 중, 문득 엘리자베스가 그를 불렀다.

"미안해요."

"뭐가?"

"멋대로 움직여서 오빠랑 다른 사람들 힘들게 만들었으니까."

"아아, 그래. 확실히 힘들긴 했어."

"정말 미안해요……."

아니.

안심할 수 있으려나.

"괜찮아."

동생의 머리를 예쁘게 빗어 놓고, 빗을 품에 넣으며 에반은
동생의 머리를 흐트러지지 않게 쓰다듬어 주었다.

"원래 오빠는 동생을 보살펴 주는 게 일이니까."
"헤헤…… 오빠 정말정말 좋아."
"오빠도 리즈를 좋아해."

그런데 기쁨을 이기지 못한 엘리자베스가 에반에게 **뽀뽀**를
하려던 그 순간이었다.
옆에서 슬쩍 나선 아리샤가 그녀를 막아선 것이다.

"원랜 괜찮았는데 지금은 좀 위험해 보이니까 관두렴."
"왜?"
"위험하다면 위험한 거야. 다들 그렇게 생각하지?"

끄덕.
에반의 품에 안긴 엘리자베스를 불안한 눈으로 보고 있던
여성진 일동이 고개를 끄덕였다.
카틀레야는 하악질을 하고 있는 것이 당장에라도 엘리자베
스에게 덤벼들 것만 같았다.

"⋯⋯역시 다 부수는 쪽이 나았으려나."

"리즈⋯⋯?"

한순간, 엘리자베스에게서 시커먼 마기가 솟구치는 것 같았는데.

에반이 식은땀을 흘리며 동생의 이름을 부르자, 그녀는 언제 자신이 그런 무서운 모습을 보였느냐는 듯 방긋 웃으며 에반의 뺨에 뽀뽀를 했다.

그녀가 뿜어낸 기운에 놀라 그녀를 견제하는 것을 놓친 아리샤가 아아아아앗, 하고 목소리를 높였으나 이미 늦었다.

"우리 집에 가자, 오빠!"

"그래. 그럼 다들 집으로 가자."

"집."

"집이 어딘데?"

카틀레야가 순진하게 물었다.

에반은 대답하는 대신 작게 웃었다.

마신의 모든 흔적이 사라진 날.

세상에 평화가 찾아왔다.

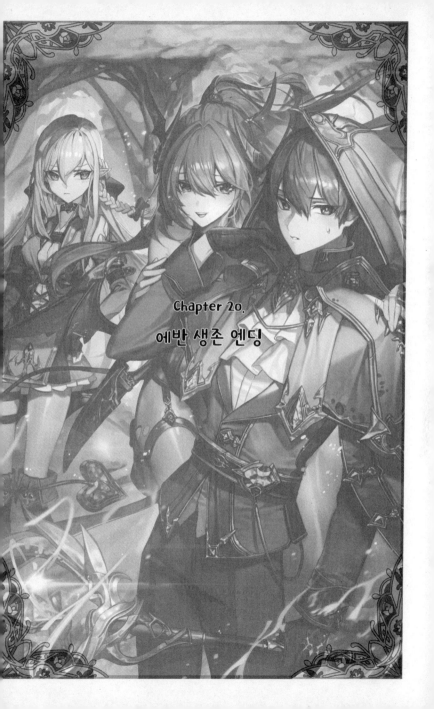

Chapter 20.

에반 생존 엔딩

에반 디 셰어든이 그들의 도시로 복귀하는 날, 어마어마한 환호성이 도시를 가득 메웠다.

"에반 공자님이 돌아오셨다!"
"에반 공자님!"
"에반 공자가 무사히 살아왔어!"
"그사이 또 여자가 늘어났잖아? 역시 에반 공자님이셔!"

요란하게 돌아올 생각은 조금도 없었지만 애초에 그가 사라질 때 특수 임무를 맡아 떠난다는 말도 안 되는 거짓부렁을 쳤던 탓에, 그걸 만회하기 위해서라도 도시의 누구나가 알 수 있도록 환영식을 치르자는 일행의 말에 고개를 끄덕여 준 것이 문제였다.

"꺅, 공자님! 이쪽, 이쪽도 봐 주세요!"

"에반 도련님, 귀환을 축하드립니다!"

"어떡해, 더 잘생겨지셨잖아?"

환영 인파로 보나 식의 규모로 보나 완전히 로마의 개선식을 뛰어넘어 버리지 않았는가!

[오, 생각보다 당신이 신이란 걸 알고 있는 이들이 많군요.]

"아냐, 이 사람들은 그런 거랑 관계없어. 함부로 신 얘기 꺼내지 마라."

"아아아앗!"

페이나의 말에 에반이 냉정하게 답하고 있는데, 생글거리며 주위에 손을 마구 흔들어 주고 있던 세레이나가 문득 깨달음의 외침을 내질렀다.

"어디서 본 적 있는 얼굴이라고 생각했는데, 우리 황궁 보고에 걸려 있는 그림 속 주인이었어!"

"누가?"

"이 언니!"

세레이나가 페이나의 얼굴을 가리키며 말했다.

에반은 사람을 함부로 삿대질하지 않도록 세레이나를 혼내고는 페이나에게 물었다.

"페이나, 실크라인 보고에 당신 얼굴이 왜 걸려 있어?"
[저도 모르겠는데요……? 저는 인세에 강림한 이후로 줄곧
당신과 함께였습니다만.]
"<u>으으으응</u>, 잠깐만 기다려 봐."

세레이나는 자신이 어렸던 시절 들었던 말을 떠올리기 위
해 머리를 감싸고 고뇌했다.
그러다 까마득히 어린 시절, 멋대로 보고에 기어들어 갔다
가 기사들에게 붙잡혀 혼나던 그날 현 국왕으로부터 들었던
얘기를 떠올리는 데 성공했다.

"우리나라 초대 왕비라고 했어! 이 언니가!"
"응?"

초대 왕비?
페이나가?
에반의 머릿속에 깨달음의 번개가 치는 순간이었다.
그래서 대지교단이 실크라인의 국교로 자리매김할 수 있었
던 것이란 말인가!

[전혀 아닙니다아아!]

페이나가 기겁하며 부정했다.

[저, 전 남자를 모르는 몸입니다! 제로, 아니 에반! 믿어 주세요!]

"하지만 초대 왕비라는데?"

"응, 초대 왕비니까 만약에 다시 이 언니가 나타나면 깍듯이 모시라고 했어."

[그, 그 남자와는 말 이외에 섞은 적이 없습니다! 멋대로 저를 초대 왕비로 만들다니 그 무례한……!]

그러나 페이나를 바라보는 주위의 시선은 전부 냉정했다.

새로운 라이벌의 모습을 포착한 순간부터 전쟁은 개시된 것이나 마찬가지.

그런데 하필이면 세레이나에게 그녀를 공격할 최대의 무기가 쥐여져 있었으니!

여자들 사이에서 오가는 치열한 눈치 게임을 모르는 에반은 페이나를 다 이해한다는 듯이 어깨를 두드려 주며 말했다.

"유부녀였으면 뭐 어때. 우린 함께 위기를 헤쳐 온 동료잖아. 색안경을 끼고 널 보는 일은 없을 테니 그렇게 초조해할 필요 없어."

[아니라니까요! 전 정말로 순결합니다, 애초에 당신 외의 인간에게 그런 마음을 품을 이유가 없습니다!]

성대하게 자폭하는 페이나의 발언을 못 들은 척해 주기로 결심하며, 에반은 생글생글 웃고 있는 세레이나를 돌아보았다.

　　"그래서 레이, 그 말은 진짜지?"
　　"응! 아마 이 언니, 황궁으로 가면 난리 날 거야."
　　"그럼 같이 한번 다녀와."
　　"……지금?"
　　"괜히 나중에 난리가 나는 것보단 일찍 해치우는 게 좋은 일일 것 같아서."
　　"오빠 미워."

　　실로 몇 개월 만에 에반이 돌아온 날이다.
　　마음 같아서는 철썩 달라붙어 언제까지고 떨어지고 싶지 않은데, 그 마음을 알고 있을 에반이 그런 말을 하니 세레이나의 눈이 샐쭉해지는 것도 당연한 일이었다.

　　"미안해, 부탁할게."
　　"오빠 부탁이라면 어쩔 수 없지만…… 돌아오면 많이 예뻐해 줘야 돼?"
　　"그래, 우리 아이한테 부담 가지 않는 선에서."
　　"윽."

　　세레이나는 부풀어 오른 자신의 배를 매만지며 에반의 시선을 슬쩍 피했다.

미안하기는 미안한 모양이었다.

"그리고 이건 선물."

"응?"

에반이 세레이나에게 내민 것은 붉은 보석처럼 보이는……
알이었다.

"또 드래곤 알이야?"

"아니, 지렁이 알."

"지렁이!?"

세레이나가 그것을 덥석 받아 안았다.

그녀의 분홍빛 눈 안에서 무수한 별이 찬란하게 반짝이는
듯했다.

"오빠 최고야!"

"응, 좋아할 줄은 알았는데 그렇게 좋아하니까 좀 놀랍긴
하네."

"헤헤, 어쩐지 곧 지렁이를 테이밍할 수 있을 것 같았는데."

"조금 센 지렁이니까 다룰 때 조심해야 돼."

"몬스터라면 아무 문제도 없어. 그럼 다녀올게! 나르!"

[큐우우우우우!]

축소되어 그녀의 품 안에 들어가 있던 나르가 우렁차게 울부짖으며 허공에서 거대화했다.

세레이나는 가기 싫다고 떼를 쓰는 페이나를 붙잡아 함께 나르의 등 위에 올랐다.

"그러면 바로 다녀올게!"

"그래. 그리고 황궁에서 페이나에게 무슨 짓을 하려거든, 지금 페이나는 내 보호하에 있다고 말하면 돼."

"보호?"

"내 마누라라고 둘러대라는 말이야."

[마누라?]

축 늘어져 있던 페이나의 날개가 순간 활기를 되찾고 퍼덕였다.

[크흠, 어쩔 수 없군요. 다녀오겠습니다!]

"어디까지나 그렇게 둘러대라는……."

[갑시다, 드래곤!]

[큐우우우우!]

세레이나와 페이나를 태운 나르가 실크라인 황궁을 향해

출발했다.

　도시 사람들은 그것도 행사의 일부라고 생각하며 날아가는 드래곤에게 환호를 보냈다.

　"다들 뇌 구조가 단순해서 다행이야."

　"요즘 즐거워할 일이 줄어들었으니까요. 도련님이 돌아오셨으니 평화로워질 거라고, 다들 믿는 거예요."

　벨루아의 말에 에반은 쓴웃음을 지을 따름이었다.

　"평화라, 그런 건 허상인데."

　"앞으로도 많이 힘들까요?"

　"그렇겠지. ……하지만 사람들이 무의미하게 죽어 나가지 않도록, 시스템을 정돈할 수는 있을 거야."

　그들은 곧 셰어든 가문의 대저택에 도착했다.

　그곳에는 이미 후작과 제2부인인 미리엄, 에반의 형인 에릭이 나와 있었다.

　"에반…… 레디네!"

　후작은 드물게도 놀란 얼굴로 뛰어와 레디네를 품에 안았다.

　그녀 역시 뭐라 말하지 않고 얌전히 후작에게 자신을 맡겼다.

"갑자기 사라져서 놀랐지 않소."

"찾으셨죠? 미안해요, 에반을 도와서 할 일이 있었거든요."

"무사하니 됐어. 아무 문제도 없소."

"고마워요. ……우리 슬슬 셋째나 만들까요?"

"큼, 당신이 원한다면야……."

"어머니, 아버지."

에반이 반쯤 질려 있는 주위 사람들을 둘러보며 정색했다.

"그런 건 두 분만 계실 때 좀."

"에반. 무사히 돌아와 정말 다행이다."

"물론 처음부터 믿고 있었지만."

레디네를 놓아준 후작이 에반을 꽉 끌어안았다.

그 품에서 풀려나니 이번엔 에릭에게 안길 차례였다.

어째 이 부자는 세월이 흘러가도 변하는 것이 없었다.

"어디서 무얼 하고 왔는지 묻고 싶다만, 참으마. 저렇게 무
사히 리즈도 데려왔고……."

"던전에서 나왔을 때보다 더 커진 거 아녜요, 아버지?"

에바이 후작과 에릭의 시선을 따라 뒤를 돌아보니, 에반의
뒤에 서 있던 엘리자베스의 모습을 발견하자마자 달려 나온

미리엄이 녀석을 꼭 끌어안고 오열하고 있었다.

"리즈에게 대체 뭘 먹인 거냐?"
"대량의 마기랑 마신의 일부요."
"뭐!?"
"농담이에요."

농담이 아니라는 것이 스스로도 너무나 무섭다.

"이제 다시 떠날 일은 없는 거겠지, 아들아."
"네. 아마 당분간은요."
"또 그런 불길한 말을 하네."
"그래도 너무 걱정하지 마, 형. 앞으론 그렇게 장기간 자리를 비울 일은 없을 테니까."

마신이 만들어 낸 세상의 저주도, 마신 본체도 완벽하게 소멸했다.
이제 이 세상은 에반을 거부하지 않는다.
그는 자신이 원하는 곳에 머무를 수 있었다.

"리즈, 우리 예쁜 딸, 어디 다치지는 않았니?"
"응! 쭈우우욱 에반 오빠가 지켜 줬어!"
"그래, 에반은 우리 딸이 태어날 때부터 지켜 줬으니까. 다행이다, 정말 다행이야."

"히, 그러니까 계속 곁에 있을래."

"그건…… 그래, 리즈 마음대로 하렴."

리즈는 미리엄의 정신이 산만한 틈을 타 언질을 잡는 데 성공했다.

겉으로 봐선 별 나이 차이가 나는 것처럼 보이지 않는 모녀가 끌어안고 있는 모습에 모두의 마음이 포근해졌다.

"그럼 이제 쉬거라. 먼 길 다녀오느라 지쳤을 텐데 쉬어야지."

"아, 그게…… 실은 바로 상의드리고 싶은 일이 하나 더 있는데요."

에반이 뒤에 시선을 주자, 사인을 알아들은 아리샤가 괜히 머리를 한 번 정돈하고는 괜히 조신한 발걸음으로 괜히 사뿐사뿐 다가와 에반의 곁에 섰다.

"저랑 아리샤 결혼 일정이요."

"다른 아이들하고도 해야 할 것 아니냐."

후작의 짓궂은 질문에, 에반은 담담히 고개를 끄덕이고는 말했다.

"일주일 간격으로 하려고요. 하지만 우선은 아리샤예요."

"……우리 둘째 아들은 언제나 이 아비의 상상을 뛰어넘는 말을 하는구나."

최종적으로 대체 몇 번이나 결혼식을 치를 셈인지 감히 물을 엄두도 나지 않는다.

후작이 부디 두 자리가 넘어가지 않기만을 기도하는데, 아리샤가 입가에 미소를 띠며 에반의 말에 덧대어 말했다.

"본가에는 연락을 넣어 두었으니, 언제든 원하시는 때에 만남을 갖고 일정을 조율할 수 있을 거예요, 아버님."

"오냐. 이럴 때가 아니라 당장 백작과 얘기를 해야겠구나."

후작은 레디네를 한 팔로 끌어안고는 나머지 한 팔에 미리엄을 부르려다, 그녀가 아직까지 제 딸을 하염없이 끌어안고 있는 것을 보고는 미소를 지으며 둘이서 먼저 안으로 들어갔다.

에반은 홀로 남은 에릭에게 말했다.

"미안해, 형. 먼저 결혼하게 되어서."

"아니, 오히려 다행이다. 만약 내가 후대를 잇지 못하더라도 네게 맡길 수 있게 됐으니까."

"……화낸다?"

"하하, 농담이다. 네가 돌아와 셰어든에도 여유가 조금 생길 테니, 나도 이제 슬슬 짝을 찾아봐야지."

"그게 내가 기다리고 있던 말이야."

형제는 다시 한 번 세게 끌어안았다.

에릭도 안으로 들어가고 나자, 에반은 일행을 이끌고 행렬의 방향을 전환했다.

행선지는 물론.

"어스트레이 본부로 가자!"

"와아아아아아!"

"주인장 오라고 해, 오늘은 파티다!"

"파티다!"

행렬이 가는 길마다 사람들의 환호성이, 꽃다발이, 축복이 함께했다.

에반은 자신의 생각보다도 사람들에게 깊은 영향을 끼치는 존재였다.

셰어든 둘째 공자의 귀환은 셰어든에서 살아가는 일반 시민들은 물론이고, 던전에 틀어박혀 있던 골수 탐험가들까지 지상으로 불러낼 정도의 소식이었다.

"에반 공자님!"

"부디 저도 함께 데려가세요!"

"어스트레이의 단장이 임무에서 귀환했다고!"

끔찍한 난리 속에 어스트레이 본부에 도달하자, 그곳에는 이미 주인장은 물론이고 오르타와 엘라까지 나와 있었다.

"대체 어디서 뭐 하다 이제야 왔수! 아니, 그건 안 말해도 되니까 잡아 온 놈들 고기나 꺼내 보쇼."
"역시 주인장은 말이 통해서 좋아한다니까."
"베인이라고 몇 번을 말해야 알아들을 건지, 원."

주인장은 처음부터 에반의 걱정은 하지도 않았던 것처럼 보였다.
에반의 품에서 끝없이 튀어나오는 고기, 심지어는 이전에 자신이 한 번 요리했던 드래곤 고기까지 나오자 조금 놀란 듯 눈이 커지기는 했으나.

"그럼, 그 오랜 기간 이 땅을 비웠으면 이 정도는 가져와야 지! 오늘 저녁은 다들 배 터질 각오 하는 게 좋을 테니 그리들 알아 두쇼."

실로 믿음직스러운 선언과 함께 그것들을 전부 주방으로 옮겨 버렸다.
한편 오르타는 에반의 모습을 보자 뭔가 울컥하는 게 있었는지 괜히 시선을 딴 데 두며 코를 훌쩍거렸다.

"전속 계약을 맺었으니 다른 데로 도망칠 수도 없어 고민했습니다, 공자님."

"미안해요, 오르타. 믿음직한 동료들도 같이 데리고 왔으니까 화 풀어요."

"동료?"

"우와아아아아아! 뭐, 뭐야. 드워프? 땅 요정! 이만한 숫자의 땅 요정들을 어디서 데려온 거야!?"

에반의 신도들 중에서 드워프들이 모습을 드러내자 엘라의 눈이 사정없이 반짝였다.

뒤늦게 드워프들의 등장을 알아차린 오르타가 살짝 긴장했지만, 그들과 조금 얘기를 하던 엘라가 우다다다 달려와 그의 허벅지를 붙잡고 끌어당겼다.

"오르타, 선조님이래! 우리 드워프의 선조님! 배울 게 엄청 많을 거라고!"

"선조라, 다행이군."

"다행이지! 그 많은 땅 요정의 비술들이 실전된 줄 알았는데 고대로 살아 숨 쉬고 있었던 거야!"

에반은 금세 드워프들 무리에 섞여 떠들기 시작하는 오르타의 뒷모습을 바라보며 빙긋 웃었다.

그때 그의 옆으로 누군가 조심스레 다가왔다. 바로 에녹이
었다.

"신이시여."

"편하게 부르지."

"그럼 에반 님. 이제 신전을 지을 때가 된 것 같습니다."

"……나의 신전?"

"저 신도들이 모두 머무를 수 있을 만한 대신전을 짓지요.
분명 볼만할 겁니다."

에반은 자신을 보며 자신감 넘치는 표정을 짓는 에녹을 보
며 감회를 느꼈다.

에녹이 믿는 신의 신전을 지어 주겠다는 약속으로 시작된
관계였는데, 설마 그 신전이 자신의 신전이었으리라 그 누가
예상했겠는가.

"약속은 약속이니까."

"그렇게 말씀해 주시리라 믿었습니다."

에녹이 씩 웃으며 뒤로 사인을 보내자, 세이브를 필두로 고
대로부터 넘어온 신도들 전원이 기세 좋게 함성을 내질렀다.

아, 역시 쟤네 무서워.

"흐아아아아아, 공자니이이이이이임."

그리고 또 한 명, 어스트레이 본부에서 달려 나온 이가 있었다.

얌전한 하녀복을 입은 주제에 머리 위로는 두 개의 토끼 귀를 달고 있는 전직 딜러 현직 비서, 디오나다.

"공자니이이이이임, 히익, 제가 공자님, 흐으으, 공자님을."
"디오나?"
"그래도 보고 싶었어요ㅇㅇㅇㅇ."

대체 무슨 말을 하는 건지는 모르겠지만 자신을 반겨 준다는 것만은 알겠다.

그런데 그녀를 적당히 달래 주려는 그때, 그는 그 뒤로 누군가 나타난 것을 알아차렸다.

"……!"
"기다리고 있었습니다, 도련님."

아무런 특징도 없는 중년의 기사.

바람 불면 날아갈 것 같은 희미한 인상의 그 남자를 보며 에반은 외쳤다.

"······다인!"
"에반 도련님!"

차마 여태까지 그의 이름을 잊어버리고 있었다고는 죽었다 깨어나도 말할 수 없다!

던전은 유지되고 있었다.
그것을 만들어 낸 마신이 죽어도 변함없이.
어째서인가 하면, 던전의 동력원은 마신과는 별개로 존재하고 있었기 때문이다.

"그들이 당신을 찾습니다."

아리샤와의 결혼식 준비에 에반이 한창 정신없이 움직이던 어느 날 오후, 네임이 에반을 찾아와 말했다.
네임이 이끄는 신인족 파티는 지금 던전과 관련된 업무를 최전선에서 해결하고 있는 팀이었다.

"그들?"
"던전의 신들."
"아, 던전의."

에반은 결혼식 때 입을 옷의 목록과 피로연 때 입을 옷의 목록을 정리하다 말고 인상을 팍 찌푸렸다.

"이제 와서 왜? 또 무슨 귀찮은 일을 떠맡기려고."
"글쎄요. 마신을 사냥한 것에 대한 보상 얘기를 하고 싶어서가 아닐까요."

에반은 그 말에 코웃음을 쳤다.
네임도 이미 던전을 100층까지 정복했을 텐데, 사고 회로가 지나치게 해피하다.

"이젠 슬슬 너도 알아도 되겠다는 생각에 말하는 거지만, 그치들이 보상을 주는 건 어디까지나 던전과 관련된 영역이야."
"마신은 던전을 만든 장본인이니."

어째 돌아오는 네임의 답이 퉁명스러웠다.
그는 흑요석처럼 반짝이는 미청년의 눈을 마주 보며 툭 뱉었다.

"혹시 네가 죽이고 싶었냐?"
"예."

네임은 즉답했다.

"던전을 만들어 낸 자, 모든 인과의 시작점이 되는 자를 직접 벌하고 싶었습니다."

그러나 네임에겐 힘이 부족했다.
마신은 신이었고.
그것을 완전히 멸하기 위해선, 마찬가지로 신의 힘이 필요했다.
마신을 두려워하며 도망치는 신들이 아니라.
인간에서 비롯된 불굴의 의지를 품고 인간을 지키기 위해 마신을 물리칠 존재가.
그것이 네임이 아닌 에반이었을 따름이다.

"하지만 너희를 만든 건…… 아마도 던전의 신이야."
"그들도 죽이고 싶은 건 매한가지이지만 그들에겐 이제 실체가 없지 않습니까."
"소거법이었구나."
"하지만 이제 모두 사라졌죠."

네임은 그렇게 말하고는, 잠시 망설이다 에반에게 물었다.

"신인족은 앞으로도 계속 태어납니까?"
"내가 신인족을 만든 신도 아니고…….""
"하지만 당신은 전부 알고 있지 않습니까."

에반은 자신을 신으로 여기고 섬기는 이들이 더는 늘어나지 않길 바라고 있었지만, 최소한 그날 마신과의 일전을 두 눈으로 지켜본 이들은 모두가 에반을 절대적인 존재로 생각하고 있었다.

……그리고 에녹과 고대로부터 온 인간과 드워프 신도들이 그의 신전을 짓는 것을 막지 못하는 한, 앞으로도 신도는 늘어 갈 예정이었다.

그는 지금도 어스트레이 본부와 그리 멀지 않은 곳에 지어지고 있는 신전의 모습을 떠올리며 나직이 한숨을 내쉬곤, 자신을 빤히 바라보고 있는 네임에게 솔직히 답해 주었다.

"한 번 만들어져 버린 데빌 룬이 계속해서 나타나듯이, 그래. 신인족도 계속 태어날 거야."

에반의 긍정에, 네임이 나직이 한숨을 내쉬는 것이 느껴졌다.

새로이 태어날 신인족들이 겪을 고난을 생각하듯 무거운 한숨 소리.

아마도 이 녀석은, 자신을 억압하던 족쇄에서 벗어나 비로소.

요마대전4의 주인공에 어울리는 사고방식을 되찾아 가고 있는 것이다.

"그날, 당신의 힘을 보고 생각했습니다. 세상을 지키는 것은 이런 존재라고. 역사를 바꾸고, 인류를 이끄는 존재 말입니다."

그러다 그가 시작한 말에 에반은 고개를 갸웃했다.

"갑자기 또 그 얘기로 돌아가는 거야?"

"물론 제게는 그런 것이 불가능하지만, 부끄럽게도 그날 당신을 조금 닮고 싶다고 생각했습니다."

"부끄러운 건 네가 아니라 나다. 쓸데없이 진지한 마스크로 그런 말 하면 오그라드는 거 모르냐?"

"저는 인류를 수호하는 거창한 짐은 등에 질 수 없지만……."

아니, 나도 그런 거창한 짐은 등에 지고 싶지 않은데.

에반이 떨떠름한 표정을 짓건 말건, 네임은 자신의 속에 품고 있던 생각을 있는 그대로 털어놓았다.

"최소한 저와 같은 숙명을 지고 태어나는 아이들만은 구원해 주고 싶습니다."

"신인족의 왕이 되고 싶다고."

마치 처음부터 그런 명칭이 있었던 것처럼 자연스레 그것을 입에 담는 에반의 모습에, 네임은 잠시 멈칫하더니 고개를 끄덕였다.

"왕은…… 아닙니다만. 그들을 자유롭게 해 주고 싶다고는 생각합니다."

"내가 이미 비슷한 일을 하고 있는 건 알지?"

"당신이 구한 아이들을 보고 처음 이 생각을 품게 된 겁니다."

신인족으로 태어났음에도 불구하고, 어린 시절부터 에반과 함께하며 순수함을 유지할 수 있었던 주니어조의 아이들.

똑같은 신인족임에도 자신들과는 다른 삶을 살아온 그 녀석들을 보고 네임이 느낀 것은 부러움이나 증오 따위가 아니라 안타까움이었다.

누가 아이들을 처음으로 만났느냐, 그 사소한 차이로 운명이 이렇게나 갈라질 수 있음에.

"하지만 제아무리 당신이라도 직접 발로 뛰지 않는 한 모든 아이를 구원하는 건 불가능할 겁니다."

"대단한 자신감이네."

"도와주십쇼."

네임이 그에게 고개를 숙였다.

무척이나 솔직한 태도였다.

"신인족을 구원하고 싶습니다."

"그래."

에반은 선선히 고개를 끄덕였다.

"신인족만을 관할하는 정보 조직을 만들 거야. 그들과 함께 직접 발로 움직여."

"……감사합니다."

"덤으로 세이브도 붙여 줄게."

"그 녀석은 싫습니다."

"아니, 붙여 줄 거야. 세이브, 밖에 있냐?"

끼익, 문이 열리고 정갈한 사제복을 입은 세이브가 안으로 들어왔다.

누가 보면 태어나는 그 순간부터 사제였던 것으로 보이리라.

하지만 저 사제복은 이번에 디자이너 오트파의 지원으로 새로 만들어진 제로 교단―차마 에반이라고 직접적으로 부를 수 없었기에 모두가 제로라는 이름으로 합의를 봤다―의 사제복이란 말이지!

"신의 부르심을 듣고 찾아뵈었습니다."

"신인족들을 구할 거야. 네임과 함께 움직여."

"르나일도 함께해도 되겠습니까?"

"부부를 떼어 놓을 생각은 없는데?"

에반의 짓궂은 말에 세이브가 겸연쩍은 듯 뺨을 긁적였다.

사랑이란 감정은 실로 신비해서 저 맹목적이던 녀석을 조금은 인간답게 보이게 만들었다.

"어째서 이 녀석이랑……."

그러나 타고난 주인공끼리의 경쟁심인지 네임은 여전히 세이브에게 거북한 마음을 갖고 있었다.

정작 세이브 본인은 네임이 에반에게 반발하지만 않는다면 전혀 신경 쓰지 않았지만!

"터무니없는 능력자니까. 어스트레이에서 차출하지 못하면, 그다음은 세이브야."

"보잘것없는 제 능력을 그리 봐 주고 계신다니 황송할 따름입니다."

"좋아, 그러면 인선은 이걸로 됐어. 나중에 장비를 한 번 갈아 줄 테니까 드워프들 찾아가고."

"……고맙, 습니다."

드물게도 솔직한 녀석의 대꾸에 에반은 재차 피식, 웃고 말았다.

"그래, 그럼 가. 나도 던전에 가 볼 테니까."

에반이 셰어든 던전을 찾자 그곳을 지키고 있던 사제와 기사들이 화들짝 놀라 경례를 올려붙였다.

역시 예전과는 달리 그를 대하는 사람들의 태도에 영 편하지만은 않은 저런 '경외'가 깃들었다.

이전부터 징조는 있었으나, 현대로 돌아와 마신을 직접 죽인 그날.

그가 지니고 있던 모든 기운들이 멸천력을 중심으로 한데 합쳐져, 고유 무장의 능력으로 정련되어…… 완벽하게 다른 힘으로 승화했다.

아마도 그것을 '신력' 혹은 '신성력'이라고 부르는 것이겠지.

그렇게 힘이 승화한 이후로는 자연스럽게 그의 몸에서 피어나는 기세에 모두가 저런 태도를 취하게 된 것이다.

에반 스스로도 인식하고 어떻게든 조절을 하려 애썼으나 아직은 힘들었다.

신입 신의 고충이라고 해야 할까?

어쩌면 던전에서 다른 신들을 만나면 조금 힌트를 얻을 수 있을지도 모르지.

에반은 한숨을 내쉬며 사람들을 물리고는 던전에 들어갔다.

[왔느냐, 아이야.]

그러자 그곳은 빛의 낙원이었다.

"어……."

에반은 자신을 둘러싸고 있는 이들을 마주하며 얼떨떨한 심정으로 말했다.

"이젠 당신들 얼굴이 보이는데요."
[격이 같아졌으니 당연한 일이지. 이리 와 앉자꾸나.]

소름이 끼치도록 아름다운 얼굴의 여신이 그에게 손짓했다.
하지만 어째 많이 들어 본 목소리였다 싶더니, 그에게 처음으로 외도라는 직업을 부여하고 헤븐 프레스니 뭐니 하는 기술들을 내리는 데 큰 영향을 끼친 바로 그 신이었다.

"당신, 그 *atl*ll인가 뭔가 하는 신 아녜요?"
[그런 더미 데이터를 순진하게 믿을 필요는 없는데. 원래 그렇게 억지로 숨겨 둔 이름은 나중에 암호를 해석해도 '대머리' 같은 시시껄렁한 농담으로 끝나는 법이란다.]
"우리 집안은 5대 이상 거슬러 올라가도 풍성하거든요!?"
[모든 것엔 시작이 있는 법이지.]
"진짜 괜찮거든!?"

그보다 자, 어서.
신의 손짓에 에반은 순순히 낙원에 마련된 테이블의 의자에 앉았다.

신들이 자연스러운 움직임으로 그 주위의 의자에 앉았다.

"그래서 절 왜 부른 건데요?"

[감사 인사와 약간의 설명을 위해 불렀단다.]

"아아, 후일담 같은 거네요?"

[그게 뭔지는 모르겠지만⋯⋯.]

역시 이 사람들 게임에 대해서는 잘 모른다니까.

[우선은 마신을 물리쳐 준 것에 대한 감사를 해야겠구나.]

"저도 먹고살자고 한 거니까 고마워할 필요 없어요."

[아니. 그것이 무슨 목적이었건, 우리의 업을 해소하는 데 네가 큰 역할을 했다는 것은 변함이 없단다.]

"업?"

[그래.]

그 순간 신들이 일제히 에반에게 자신의 얼굴을 내밀었다.

에반은 어째선지 그들의 얼굴을 본 적이 있는 것 같다는 생각에 휩싸였다.

"어라?"

어째서?

요마대전3 본편은 물론 DLC에도 신들의 이미지가 공개된
적은 없는데?

[역시 기억을 못 하는구나.]

[그야 당시 우리에게는 관심도 없었을 테니까.]

[마신에게 겁먹어 도망치기 급급했던 우리를 이 아이가 무
엇 하러 기억하고 있겠는가.]

"……도망?"

[그래, 도망.]

신 중 한 명이 고개를 끄덕여 긍정했다.

[우린 신대에 소환되었던 신들이란다.]

[엄밀히 따지면 그들이 남긴 잔재라고 봐야겠지.]

[그리고 신이라고 부를 수조차 없었던 우리들이, 마신의 힘
을 억제하고 던전을 관리할 수 있게끔 했던 것은.]

[너의 신성력이 있었기 때문이다.]

"아니 잠깐, 잠깐만."

이제 어지간한 놀라운 일에는 면역이 되어 있던 에반조차
이 얘기에는 경악을 금할 수가 없었다.

응? 아니 그러니까 이 신들은 분명 마신의 수작을 눈치채

고 신계에서 직접 내려와 던전을 관리하게 된 신이…….

제 머리를 싸매 쥐고 혼란에 빠진 에반에게 신들이 설명을 이어 갔다.

[신이 인간계에 내려오는 것은 무척 어려운 일이라는 사실을 너도 알고 있을 텐데?]

[신을 인간계로 불러오는 소환 의식은, 신대에 있었던 그건을 마지막으로 두 번 다시 없었단다.]

[그저 대지모신과 같이 몇몇 신들이 지상에 힘을 내려보내 인간을 풍요롭게 하는 데에 힘쓸 뿐이었지.]

[그리고 신인족을 만드는 데 힘을 합쳐 주기도 했지.]

에반은 허탈해졌다.

스스로를 신이라 칭하는 이 던전의 존재들이, 사실은 신의 파편에 불과했다니.

하지만 그렇다면 납득이 간다.

이들의 이 국소적인 영향력도, 던전에의 약한 간섭력도.

"제 신성력이 도움이 되었다는 건 무슨 말이에요?"

[음, 너는 신대에 신앙을 틔워 놓고 사라졌지.]

[그 후로도 너를 믿는 이들의 신앙은 끊임없이 피어났단다. 너는 모르겠지만 네가 남긴 신앙은 다른 모든 신들을 향한 신앙보다 거셌고, 지금도 인간들이 '이름 모를 신'에게 바치는

모든 신앙은 너의 것이란다.]

　에반의 숨이 턱 막혔다.
　설마 아닐 거라고 믿고 싶었지만, 그러니까 이들은 지금.
　신의 존재를 모르는 무수한 존재가 자연에 바치는 단순한
기원조차.
　모조리 그를 향한 신앙으로 치환되고 있다는 말인가?

　[그렇단다. 왜냐하면 너는 이미, 직접 나서서 세상을 구원
한 적이 있기 때문에.]
　[이 땅의 모든 생명은 네게 빚을 지고 있고, 따라서 특정한
신을 믿지 않는 모든 이는 너의 신자가 되는 것이지.]

　너무나 아득한 이야기에 에반은 정신을 차릴 수가 없었다.
　그러나 이야기는 아직도 끝난 것이 아니었다.

　[그리고 그 신앙은 그 시대에 존재하지 않는 주인 대신, 지
상에 남아 있던 신적 존재의 파편인 우리에게로 흘러들어 왔
단다.]
　[우린 그 힘으로 간신히 자아를 틔워 내고, 던전에 간섭하
고, 인간을 키워 낼 수 있었지.]
　[물론 네가 바로 그 '제로'라는 사실은 모르고 있었지만.]
　[마신이 죽는 순간 깨달을 수 있었지.]

[그렇기에 이렇게 우리는 네게 감사를 표하고 있는 것이
란다.]

에반은 그제야 신들이 어째서 그를 청했는지 깨달았다.

[하지만 이제 넌 올바른 신의 형태로 거듭났고.]
[이젠 만인의 신앙이 너에게로 수렴할 것이란다.]
[그렇게 되면 던전은 유지되지 못하니.]
[우리는 다시 너에게 부탁하고 싶구나.]
[부디, 던전을 유지할 힘을 내주지 않겠니?]
[아직 위기는 끝나지 않았으니 말이야.]

에반은 지그시 눈을 감았다 떴다.
답은 물론 정해져 있었지만, 그 전에 그들에게 묻고 싶은 것
이 있었다.

"내 적성이 마법사라고 했던 건······."
[네가 이미 과거에 대마도사로서 어마어마한 족적을 남겼
기 때문이지. 인과가 역전되어 있었던 거야.]
"그럼 나 말고는 그런 사이비 같은 판정에 농락당할 희생자
는 나오지 않겠네요?"
[조금만 더 믿어 주렴. 너를 외도로 만든 건 우리이지 않니.
······결국 그것도 너의 힘이었다만.]

하하, 처음부터 끝까지 엉망진창이잖아.

도무지 시작점이 어디인지 파악할 수조차 없으니.

실로, 외도라고 부를 수밖에 없다.

"좋아요."

외도는.

새로운 던전의 주인은 말했다.

"던전 운영, 한번 해 보자고요."

에반과 아리샤의 결혼식 날.

그날은 정말로 해가 쨍쨍하고, 구름도 한 점 보이지 않는 화창한 날……

"로 만들 테니까 그만 울어, 아리샤."

"흐으, 하지만, 우리 결혼하는 날에, 갑자기 저렇게, 흐으으."

마치 지금 셰어든에 퍼붓고 있는 비처럼,

이리샤는 요즘 눈물이 많아졌다.

에반이 갑자기 사라지고, 심지어 다른 경쟁자들은 에반의 아이를 임신했다는 말에 슬픔과 설움이 차곡차곡 쌓이고 있다가 그것이 에반을 보니 폭발한 모양이었다.

에반도 그것을 알고 있는 만큼 유난히 아리샤를 챙겨 주고 있었는데, 아무리 그라고 해도 이런 천재지변을 미리 알아서 할 수는 없었다.

'그냥 비가 오고 있을 뿐인데 말이지.'

어제 밖이 흐리기에 미리 구름을 흩어 둘까 생각하고는 있었다.

하지만 신성력을 활용한 새로운 던전 설계 회의나 신인족 탐색 프로젝트, 마녀들의 새로운 수장을 선정하는 회의 따위에 휘말리다 보니 깜빡 잊어버리고 만 것이다.

"정말 나, 속상해…… 히끅. 나, 나 에반이랑 결혼, 하면 안 된다고, 흐으. 하늘이……."
"괜찮다니까 그러네."

둘이 이보다 훨씬 어렸을 때, 아리샤는 주위 모든 것을 깔보는 아이였다.

그만큼 출중한 능력을 갖고 있었지만 귀족 중심 사고는 확고했던 것이 기억이 난다.

아리샤가 자신을 향해 짓는 미소가 무서웠던 시절도, 분명히 있었다.

그런데 지금은 완전히 평범한 사람이 되어 버리지 않았는가.

"내 잘못인가."

"에반은 잘못 없어! 에반은 고생만 했는데, 흐으으."

"아냐아냐, 다른 얘기야."

"에반은 잘못 없단 말이야……."

칭얼거리듯이 에반의 무죄를 주장하며 눈물을 뚝뚝 흘리는
아리샤의 모습이 너무 귀여워 에반은 미소 짓고 말았다.

어느덧 그녀는 게임 속 아리샤의 모습과는 완전히 달라지
고 말았지만, 이것이 그녀가 에반을 사랑한 결과라고 한다면
그는 기꺼이 그것을 받아들이리라.

사실 이쪽이 더 귀엽기도 하다.

"아리샤, 봐."

"으응?"

그는 한 팔을 뻗어 아리샤의 가녀린 어깨를 끌어안으며 나
머지 한 팔을 창밖으로 뻗었다.

그러자 도시 위를 뒤덮고 있던 비구름이 서서히 한 점으로
집중되며, 심지어는 뿌려 내고 있던 비까지 역류하는 것이 보
였다.

"……."

아리샤는 그저 입을 다물고 그것을 바라보고 있을 뿐.

에반은 그것을 극한에 가깝게 압축시켜 주먹만 한 덩어리로 만들었다.

하늘에서 일어나는 기사에 놀란 주민들도 밖으로 나와 그것을 지켜보고 있었다.

에반이 장난스레 손가락을 튕기는 시늉을 하자, 물 덩어리가 허공에서 튕겨 나 곧 그 모습을 감췄다.

"자, 이제 맑아졌지? 결혼하기 좋은 날이야."

너무 충격적인 광경에 아리샤의 눈물이 멈춰 버렸다.

그녀는 하늘에 구름 한 점 남지 않은 것을 보고도 멍하니 있다가, 이윽고 에반의 옷깃을 붙들며 물어 왔다.

"저거, 어디로 보냈어?"
"화산사막. 거긴 좀 젖어도 문제없어."
"쿠훗."

그제야 아리샤가 웃음을 터트렸다.

에반은 아직 그녀의 눈가에 맺혀 있는 눈물방울을 손으로 훔치며 포근하게 안아 주었다.

"그 누구도 방해하지 못하게 할 테니까, 준비 예쁘게 해서 나와. 오늘은 아리샤가 누구보다도 예쁜 날이니까."

"벨루아보다도?"

"그럼 당연하지. 아, 이거 루아한테는 비밀."

"응."

아리샤는 순순히 고개를 끄덕이고는 에반의 뺨에 입을 맞췄다.

에반 역시 그녀의 뺨에 입을 맞춰 주곤 밖으로 나왔다. 무엇을 감추랴, 그가 지금까지 있던 곳은 브라이드 룸이었다.

"공자님, 오늘은 제가 모실게요."

화려한 금발의 세미 롱 헤어, 독특한 보랏빛 눈동자를 지닌 글래머 미인이 그를 맞이했다.

정말이지 터무니없는 미인이라서 에반은 잠시 이런 여자도 있었나 하는 생각에 빠졌다가는 곧 답을 떠올려 냈다.

"아, 깜짝이야. 뭐야, 디오나였잖아."

뒤늦게 그녀를 알아본 에반이 기겁하자 디오나가 울컥하여 말했다.

"제가 토끼 귀 머리띠를 하고 있지 않으면 그렇게 이상한 가요!?"

"넌 내가 돌아오는 날도 머리띠를 하고 있었으면서 왜 오늘 갑자기 벗은 거야?"

"결혼식이잖아요. 아무리 머리띠가 제 자존심이라도 가문의 안주인 되실 분의 결혼식에서까지 자존심을 챙기고 있을 수는 없죠."

어째서 그 말을 하면서 우쭐거릴 수 있는 것인가, 에반은 기가 막혔다.

"이거 혹시 내가 고마워해야 되는 건가?"

"아뇨, 그건 아니에요. 이렇게라도 점수를 벌어야 나중에 제가 공자님 첩이 되어도 아리샤 님께 미움을 안 받죠."

에반은 그 말을 듣고 반사적으로 그녀와의 거리를 벌렸다.

그러나 디오나는 마치 바퀴벌레가 기어오듯 스스슥 다시 그와의 거리를 좁혔다.

"포기한 거 아녔어?"

"포기란 안개가 끼었을 때나 하는 말이죠."

"정말 미안하지만 네가 날 좋아해 준다고 해서 다 마누라로 받지는 않거든?"

"괜찮아요, 공자님. 계속 같이 있다 보면 언젠가는 우리도 눈이 맞겠죠."

에반은 역시 그녀를 도박의 도시 로이젠으로부터 데려온 것은 자신의 실수가 아니었나 곰곰이 생각했다.

에반과 메이벨이 사라지고 없는 사이 어스트레이 본부의 관리나 메이벨의 사업 관리에 디오나가 관여하고 공헌한 바가 지대했기에 이젠 쉽게 자를 수도 없다.

그렇다. 그녀는 에반이 부재하는 중에 셰어든에서 자신의 입지를 확고히 다져 놓고 있었던 것이다!

"그…… 디오나도 나한테만 집착할 필요는 없잖아. 다인하고는 좀 어때?"

"네? 그게 누구죠?"

농담으로 하는 말이라면 그녀에게 크게 화낼 작정이었으나 디오나는 정말로 다인이 누구인지 궁금해하는 표정이었다.

"아니, 그때 보면 같이 나오던데?"

"아, 혹시 호위 기사분 중 한 명인가요? 저도 이제 제법 중요 인물이라서 혼자 다닐 때는 암중 호위를 받는답니다. 후후."

"응…… 뭐, 그렇기는 한데. 아냐, 됐어."

"아무리 잘생긴 호위 기사를 소개시켜 주시려고 해도 무리예요. 제가 공자님만 바라보고 산 지 벌써 몇 년…… 아니, 세월 얘기는 관두죠."

에반 주위의 몇 없는 연상녀로서 나이나 세월은 디오나의 금구.

미로엘이 들으면 코웃음을 치겠지만 그녀에게는 에반과의 나이 차이가 나는 점이 굉장히 민감한 사안이었다.

"자자, 도련님. 전 언제까지고 이렇게 떠들고 있는 것도 좋지만 오늘은 바쁜 몸이시니까요. 식 준비하러 가시죠."
"그랬지. 그래 봤자 옷 입는 것 아냐?"
"화장도 하셔야 돼요."
"내가 화장하면 큰일 날 텐데."
"후후, 공자님도 참 농담하시기는."

하지만 에반의 예언대로 되었다.

"아, 아름다워."
"으으으. 아리샤 아가씨가 부러워……."
"이게 정말 인간인가?"
"아냐, 저번에 들으니까 이제 신이시라던데?"
"아, 아아."

정말로 간단한 기초화장에, 완벽한 눈썹은 건드리는 것도 죄송스러워 가만히 놔두고 입술에 가볍게 색을 냈을 뿐이다.

그런데도 화장을 해 주던 하녀가 실신하는 사태가 벌어지고 말았다.

"비올레에에에에엣!"

"우리 비올렛이 숨을 안 쉬어!"

"아무리 그러고 있어도 에반 도련님이 직접 인공호흡을 해 주시지는 않을 거야, 비올렛!"

하녀들이 펑펑 눈물을 흘리며 단순히 기절했을 뿐인 하녀를 붙들고 호들갑을 떨었다.

에반은 저것이 다 화장이 잘되었다는 사인인 것으로 받아들이기로 했다.

"아니, 진짜 좀 어떻게 안 됩니까?"

그 난리 통을 지켜보고 있던 샤인이 어처구니없어하며 말했다.

그러나 에반은 어깨를 으쓱이며 대꾸했다.

"이미 최대한 노력하고 있어. 매력과 관련된 장신구는 다 떼 버렸고, 그나마도 자제하고 있다고."

"도련님이 무슨 지상에 강림한 인큐버스 킹도 아니고."
"인큐버스 정도로는 이렇게 되지 않는데?"

마침 결혼식장을 둘러보고 온 메이벨이 샤인에게 태클을 걸었다.

"인큐버스가 자극하는 건 조금 더 천박한 쪽의 욕망이야. 우리 도련님처럼 복합적인 아름다움을 표현할 수 있는 인큐버스는 없다구."
"아니, 누나. 관심 없으니까 그렇게 열변을 토할 필요는 없는데."
"흥!"

싸늘하게 대꾸하는 샤인에게 콧방귀를 뀐 메이벨이 에반에게 돌아서더니 두 눈에 하트를 띠며 그에게 달라붙었다.

"도련님임, 어쩜 이렇게 멋질 수가 있어요! 이대로 보쌈해서 침대로 데려가고 싶네요!"
"바로 방금 천박한 쪽의 욕망이 아니라 복합적인 아름다움 어쩌구저쩌구 하지 않았던가!?"

메이벨은 금방 쫓겨났다. 그녀 나름의 귀여운 시위였다.

"시위?"

"그 녀석과는 이번에 결혼식 안 하니까."

"아, 아아. ……아니, 정말로 부인으로 받으실 겁니까?"

"애도 있잖아, 당연히 거둬야지. ……하지만 지금은 안 되고."

에반 입장에선 괜찮지만 다른 모든 이들의 입장에서 불가능하다.

생각해 보면 단순하다.

1부인인 아리샤는 에반의 약혼녀이며 타국에서 던전 도시를 운영하고 있는 빵빵한 세력가의 딸.

2부인인 세레이나는 어째서 1부인 자리를 빼앗겼는가 알 수 없는 고귀한 신분의 총체. 무려 실크라인의 왕녀.

3부인인 미로엘에 이르러선 아예 한 종족의 수장이다. 그녀와의 결혼식은 고대의 숲에서 치르기로 했지만, 둘의 결혼 사실 자체는 이미 널리 알려져 있었다. 그녀의 진실한 정체도 물론.

한 명 한 명이 한 나라의 국모가 되어도 이상하지 않은 신분이다.

그런데 여기에 다른 이가 감히 끼어들 깜냥이 되겠는가.

"듣고 보니 그러네요. 아니, 역순으로 굉장한데요?"

"그래서 거기에 루아 한 명 자리 넣는 것도 힘들었어. 세상 나 혼자 살 거라면 다른 사람들은 모두 무시해도 되지만, 그럴 수는 없으니까."

"벨루아가 4부인이 되는 겁니까……."

거기서 샤인은 잠시 머뭇거리는 듯싶더니, 괜히 다른 이들에게 안 들리게 에반에게 귓속말로 속삭였다.

"그래서 루이즈는 어떻게 하실 겁니까."
"제국을 혼수로 가져오겠다는 걸 일단 말렸어."
"……."

스케일이 다른 루이즈의 맹목적인 사랑에 샤인이 입을 다물고 있자니, 에반이 제 이마를 짚으며 좌절했다.

"아니 그 녀석, 걔랑은 한 번밖에 안 했는데……."
"예전에 저랑 라이한 형한테 아랫도리 간수 잘하라고 그러셨던 분이 누구더라, 도련님이셨던 기억이 나는데."
"죽는다, 너 진짜."

에반은 가까스로 마음을 진정시킨 후, 퉁명스러운 말투로 말했다.

"5부인 자리라도 황송하다는데. 그리고 결혼식은 아이를 낳은 후 하자고."
"하긴 제국을 안정화시키려면 그 정도 시간은 걸리겠죠. 게다가 정말로 제국을 방치하고 이쪽으로 올 수 있는 것도 아니니."

이런 생각은 그녀에게 미안하지만, 그녀와 함께 사는 것이 아니라 정말 다행이다.

　그랬더라면 아리샤나 벨루아와 매번 충돌하며 갈등을 빚어 냈으리라.

　어쩌다 보니 이상적인 형태로 관계가 자리 잡았다고도 할 수 있으리라.

　"공자님, 이제 슬슬 나가셔야…… 하아."

　"기절하지 마!"

　밖에서 기다리던 디오나가 그를 부르러 들어왔다가 그대로 그 자리에 미끄러질 뻔했다.

　에반이 다급히 일어서 그녀를 붙잡아 주자 디오나는 눈에 눈물을 글썽이며 말했다.

　"화장 지우세요, 공자님. 결혼식장을 병원으로 만드실 생각이세요?"

　"그래서 내가 안 될 거라고 했잖아."

　"아니, 괜찮습니다!"

　돌연 그 자리에 모습을 드러낸 것은 이번에 마신의 공격을 받아 내고 한층 성장한 싱기사 라이한이었다.

"사제들의 힘으로 정신을 보호하는 광역 마법을 펼칠 겁니다. 사실 대충 이렇게 될 거라 생각해서 에녹이 이끄는 사제단과 협력하여 준비해 두고 있었습니다."

"그렇게까지!?"

"그러니 걱정 말고 나가시죠, 공자님. 오늘은 공자님과 아리샤 아가씨가 세상의 주인공이 아닙니까."

세상의 주인공이라.

아리샤가 좋아하는 말이지.

에반의 입가에 미소가 떠올랐다.

"그럼 어쩔 수 없죠. 다들 견뎌 주길 바랄 수밖에."

"진짜 엄청 재수 없는데 사실이라 뭐라고 할 수가 없네요."

"세상 제일가는 미녀들을 독점하는 거잖아. 이 정도 잘났다고 선전하지 않으면 안 되지."

에반은 옷매무새를 가다듬고, 밖으로 나섰다.

그의 신부가 그를 기다리고 있을 것이다.

결혼이 인생의 무덤이라면, 에반은 벌써 무덤을 네 개나 판 셈이다.

그동안 다른 여자한테 찔리지 않았다는 것이 스스로도 놀랍긴 했지만, 앞으로도 무덤을 여러 개 팔 예정이라는 것을 고려해 보면…… 아니, 역시 찔릴 것 같은데?

"꺄우!"
"정말 귀엽죠? 알론이라고 한답니다."
"오오……."

에반은 자신의 품에서 꼬물거리는 아기 엘프를 쓰다듬으며 새삼스레 생명의 신비를 느꼈다.

버나드와 일로인의 둘째, 알론은 사내아이였는데, 아무래도 아기들이 에반을 좋아하는 것은 성별의 문제가 아닌지 에반을 보자마자 두다다다 바닥을 기어와 그에게 찰싹 달라붙었다.

"힝, 내가 안고 있었는데."
"에이르 누나는 내가 있잖아!"
"리안보다 알론이 좋아."
"우……."

자신에게 동생이 있다는 것을 깨닫고 남친을 버려두고 동생에게만 집중하는 에이르도, 알론을 귀여워하면서도 에이르의 관심을 더 얻고 싶어 칭얼거리는 리안도 아직 귀여운 아이들이었다.

……에이르는 나이에 비해 다소, 조금 과하게 크긴 하지만.

"생명이란 엘릭시르보다 더한 기적의 연금술이네요."

"그놈의 엘릭시르, 워낙 급하게 만들어서 뭐가 뭔지도 모르겠다."

"다음에 처음부터 다시 한 번 같이 만들어요, 할아버지."

비록 에반에게 많은 도움을 받았다고는 하나, 성공적으로 엘릭시르를 연성해 낸 덕에 버나드는 또 한층 젊어져 있었다.

물론 그는 그 전까지 에반과 함께 엘릭시르를 깊게 연구하고 있었기에 이런 성과를 얻을 수 있었던 것.

로즈와 일로인은 이에 무척 기뻐했으며 에반에게 깊이 감사했다.

"우리 에이르를 줬어야 하는데."

"이제부터 새로 하나 낳으면 되죠. 저랑 버나드가."

"아니, 됐거든요? 진짜 됐거든요?"

로즈와 일로인이 한마디씩 하는 말에 에반이 기겁하며 대꾸하는 옆에서, 미로엘이 후훗 웃으며 찻잔을 내려놓았다.

"마음만 받지요, 일로인."

"아, 그, 넵, 넵."

미로엘이 일로인에게 정확히 어떤 표정을 지었는지는 에반도 보지 못해서 알 수 없었다.

하지만 자신에게 보여 주기 싫은 얼굴이니까 그의 눈을 가렸겠지.

"미로엘 님도 참, 에반을 많이 사랑하시나 봐요."

"적어도 일주일에 하루 정도는 독점하고 싶은데, 그것도 힘들게 생겼으니 제가 속상하지 않겠어요? 제가 기다려 온 세월을 생각하면……."

"생각하면?"

"아니! 생각하지 말아요, 에반."

미로엘이 단호하게 말했다.

신대로 날아가기 전에는 단장님, 신대에서는 제로였던 호칭이 지금은 에반이 되었다.

아마도 그녀에겐 반드시 지켜야 할 고집이었던 것이겠지.

"말이 나와서 말이지만 미로엘 님이 에반을 찾기 위해 정말 많은 노력을 하셨었죠. 인간계로 나가는 엘프들 모두를 붙들고 신신당부하시기도 하고, 주기적으로 세계수 어머니의 힘을 빌려 탐사하시기도 하고……."

"일로인?"

미로엘의 목소리가 또 조금 무서워졌지만 일로인은 이번엔 물러서지 않고 능글맞게 웃으며 받아쳤다.

"훗, 뭐 어떤가요. 오히려 그런 귀여운 부분을 어필해야 에반에게 점수를 더 따시는 것 아닌가요?"
"그, 그런 푼수 같은 부분은…… 이미 과거에 많이 어필했으니까 괜찮아요."

앗, 갑자기 분위기가 바뀌었다.
갑자기 소극적으로 변한 미로엘이…… 마치 신대 때에 그랬듯이, 에반의 한쪽 팔을 붙들며 부끄러워하는 것이다.
까마득한 과거에 있었던 일이니 진즉 잊어버렸어도 이상하지 않은데, 당장 어제 일처럼 부끄러워하는 미로엘의 모습을 보면 아무래도 아닌 모양이었다.

"그런데 두 분 아이 계획은 어떻게 돼요?"

괜히 꼬물거리며 에반에게 어깨를 기대는 미로엘의 모습에 어처구니가 없다는 듯 한숨을 내쉰 일로인이 물어 왔다.
그러나 미로엘은 그 말에 뺨을 살짝 붉게 물들이며 대꾸했다.

"계획이라뇨."
"2부인과 4부인은 이미 임신하고 있잖아요? 1부인도 벼르고 있고, 미로엘 님도 느긋이 있을 수는 없지 않겠어요."

"아니, 그러니까……."

미로엘이 더더욱 부끄러워하며 아예 에반의 품에 얼굴을 묻었다.

에반의 품을 빼앗으려 드는 미로엘에게 화가 난 알론이 인상을 찡그리며 저항했지만 엘프의 수장에게는 이길 수 없었다.

"응? ……설마!?"

정답을 알아차린 일로인이 기함했다.

그러나 에반은 태연히 대꾸했다.

"우리 결혼한 지가 언젠데요. 당연히 벌써 들어섰죠."

"아직 한 달도 안 됐잖아요!?"

"그, 어머니의 힘을 조금…… 빌려서……."

"비겁해요!"

미로엘의 솔직한 고백에 일로인이 벌떡 일어서며 외쳤다.

"우린 그렇게나 노력해야 했는데! 물론 그 시간들이 즐겁지 않았느냐고 묻는다면 거짓말이지만, 그래도! 세계수 어머니의 힘을 그런 사소한 데에 쓰시다니!?"

"사, 사소한 게 아니라 차기 엘프들을 이끌 하이엘프를 낳는 일이니까요.”

“미로엘 님도 당당하지 않으신 거죠? 그래서 자꾸 제 눈을 피하시는 거죠?”

“진정하시오, 일로인. 하이엘프의 후사를 잇는 일이니 세계수께서도 얼마나 기다리고 있었겠어.”

“큭, 그건…… 우리도 셋째 낳아요!”

도저히 참지 못한 일로인이 분노를 다른 방향으로 분출시키자 버나드가 기겁하여 대꾸했다.

“당분간은 봐주시오!”

“역시 나지? 내 차례지?”

“로즈 넌 조용히 있어라!”

아무래도 버나드 부부 사이에 조금 위험한 분위기가 감돌고 있어, 에반은 조용히 알론을 에이르에게 다시 떠넘기고 미로엘과 함께 밖으로 나왔다.

“에반 형아.”

그런데 리안이 에이르와 같이 있지 않고 그를 따라 나왔다.

“리안, 왜?”

"응, 나 던전은 언제부터 들어갈 수 있어?"

리안은 에반이 신호만 주면 당장에라도 던전에 뛰어 들어
갈 것처럼 생기 넘치는 표정을 짓고 있었다.

비록 마계에서 이상한 공기를 마시고 커서 그런지 겉보기
엔 열 살 이상으로 보이지만, 분명히 아직 다섯 살 아이다.

녀석은 마신과의 전투를 치를 때도 유효타를 한 방 넣고 그
막대한 경험치의 일부를 받아먹었으니, 던전의 난이도가 이
전 그대로라면 얼마 걸리지도 않아 그대로 던전을 정복하고
나오겠지…….

"조금은 더 기다려야 돼. 지금은 조정 기간이거든."

이전 에반과 신들과의 상담이 있은 이후, 셰어든 던전은 통
제되고 있었다.

아니, 사실 펠라티 던전과 메르딘 던전도 마찬가지였다.

그 셋의 던전 모두 에반의 힘으로 유지되고 있는 던전이었
으니까.

"조정 기간…… 조정은 왜 하는 거야, 형아야?"

"생각해 봐, 리안. 이전까지의 던전은 요마왕을 상대하기
위해 인간들이 수련하는 공간이었거든."

"웅! 그런데 그걸 형이 죽였다고 했어!"

"내가 죽였다기보단 그 자식이 알아서 자살한 거긴 한데, 아무튼. 이제부턴 그 정도로는 안 될 거거든."

"오오오……."

에반의 말에 리안의 눈빛이 몽롱해졌다.

분명 인류의 위기를 논하고 있음에도 녀석은 흥미진진한 표정이다.

이런 녀석들을 세상은 주인공이라고 부르는 것이겠지.

에반은 픽 웃으며 말을 이었다.

"그래서 모든 던전의 구조를 확 뜯어고치는 중이야. 이상하게 섞였던 것도 풀고, 단계별로 성장할 수 있게 만들고. 사망률은 조금 낮추고, 난이도별로 새로운 공간을 만들기도 하고."

"와아아아아아!"

방금 아무렇지도 않게 터무니없는 얘기가 지나갔지만 그것이 얼마나 대단한 일인지 모르는 리안은 그저 손뼉을 치며 환호할 뿐이었다.

"그래서 어떤? 어떤 놈하고 싸워야 되는 건데?"

"그건 말이지……."

그런데 에반이 리안에게 조금 힌트를 주려던 그때, 그들의 머리 위로 갑자기 그림자가 졌다.

고개를 들어 확인하니 그것은 비행선이었다.

"저것은 무엇이죠, 에반?"

오랜 세월을 살아온 탓에 새로운 것에는 본능적으로 공포심을 갖는 미로엘이 그의 팔을 꽉 껴안았다.

에반은 비행선의 옆면에 그려진 거대한 문장을 보며 눈을 지그시 가늘게 떴다.

"메르딘 제국의 비행선이네. 루이즈 녀석, 또 거창한 짓을."

"엄청 크다!"

"형은 아무래도 손님을 맞으러 가야겠다. 리안, 아빠한테 가렴."

"응!"

리안이 활짝 웃으며 뛰어갔다.

에반은 저 녀석은 아무 근심 걱정도 없어 부럽다고 생각하며 미로엘에게 시선을 돌렸다.

"난 저 녀석을 만나고 올 테니까, 미로엘은 먼저 우리 집으로 가 있어."

"하지만 혼자 보내기 싫은데요……!"

미로엘이 드물게 떼를 썼다.

아니, 신대였다면 이쪽이 더 익숙할지도 모르겠다.

에반은 지극히 자연스럽게 손을 뻗어 미로엘의 머리를 쓰다듬어 주었다.

"아……!"

"저 녀석이 날 데리러 온 것도 아니고, 걱정하지 마."

"그러면, 네, 믿을게요……. 후후."

비행선은 셰어든 인근에 아주 천천히 착륙했다.

셰어든에 있는 모든 사람의 이목을 다 끌어모은 비행선에서는 역시나, 제국의 지배자를 상징하는 왕관…… 아니, 제관帝冠을 쓰고 있는 여성이 걸어 나오고 있었다.

그녀는 실로 자신의 위치에 걸맞은 모습이었다.

적갈색의 머리카락이 우아하게 말려 있었고, 흑요석 같은 눈동자는 에반을 똑바로 직시하고 있었다.

"스승님."

"결혼식 때는 안 왔잖아?"

"울 것 같아서, 그때는 못 왔어요."

울 것 같다니, 너무 분해서? 에반은 그 말에 쓴웃음을 지으며 그녀, 루이즈와 마주했다.

현대로 돌아와서 루이즈와 직접 얼굴을 마주하는 것은, 놀랍게도 이번이 처음이었다.

루이즈가 제국을 만들기까지 했다는 말에 깜짝 놀라서 바로 그녀를 찾아가려 했으나, 루이즈가 자신 쪽에서 준비가 되면 찾아오겠다며 그러지 말라고 했던 것이다.

"……움직여도 괜찮은 거야?"

"관리는 잘 받고 있으니까요."

"그래……."

에반은 그녀의 부풀어 오른 배가 무척이나 신경 쓰였다.

태아 상태인 지금부터 심상치 않은 마력을 품고 있는 것이 과연 자신의 아이였다.

아니, 당연히 그럴 것이라고는 처음부터 알고 있었지만 그래도 직접 마주하게 되니 오는 충격은 별개였다.

"죄송해요, 스승님. 제가 죽을죄를 지었어요."

"아니아니아니아니, 무릎 꿇지 마. 아이한테 위험하니까 무릎 꿇지 말라고."

충격을 받은 에반의 모습에 다급히 그에게 고개를 조아리려는 루이즈를 에반이 기겁하여 붙들고 말렸다.

루이즈는 그의 사소한 스킨십에 무척 감격한 표정이었다.

"스승님, 저를 용서해 주시는 건가요?"

"아니, 그건 아니고."

"아."

모든 희망을 잃고 그 자리에 쓰러지려는 루이즈를 에반이 다급히 부축했다.

"아이한테 잘못은 없으니까 몸 막 다루지 말라고!"

"며, 명심할게요. 감사해요, 스승님. 저를 내치셔도 할 말이 없는데…….."

"솔직히 하고 싶은 말은 무척 많다만…… 그래도 나를 위해서 한 일이니까."

에반은 한숨을 내쉬며 루이즈를 끌어안아 주었다.

"그동안 고생했어, 루이즈."

"스, 스승님…… 저, 너무 기뻐서……."

"쓰러지지 말고."

"흑, 감사합니다."

그는 루이즈를 토닥여 주며 조금 강한 목소리로 다짐하듯 말했다.

"하지만 앞으로도 지금까지와 같은 방식으로는 안 돼. 사람의 마음까지 조종하는 건 금지야."

"네. 그런 건 진즉 해제했어요."

"믿을게. 그래서? 오늘 날을 골라서 온 이유는…… 아아, 역시나."

뒤늦게 비행선에서 내리는 두 명의 남녀를 본 에반의 눈에 이채가 돌았다.

안 그래도 바로 얼마 전 통신으로 얘기를 나눴던 이들이다.

크테아실. 이번에 마법진을 작동시켰던 마녀.

그리고 그녀와 함께 움직였던 에반의 제자이며 요마대전…… 새로운 시리즈의 주인공이 될 예정인, 디폴트.

"역시 너희가 같이 왔구나."

"재밌는 일 하고 있잖아, 에반 공자야! 마법진의 관리자로서 나도 빠질 수 없지!"

"이번에 숨넘어가기 직전이었잖아, 누나. 괜히 신나는 척하지 마. 아, 스승님. 무사하셔서 정말로 다행입니다."

일단 명목상의 주군인 루이즈가 에반의 품에 안겨 있음에도 불구하고 굳이 굳이 에반을 껴안으려 드는 크테아실과, 한심한 누나를 말리고는 에반에게 정중히 고개를 숙이는 디폴트.

에반은 그 둘을 보며 만감이 교차하는 기분이었지만, 확실히 둘을 빼 놓고는 이야기를 진행할 수 없는 것도 사실이었기에, 쓸쓸한 미소를 지으며 고개를 끄덕여 주었다.

"둘을 기다리고 있었어. 대책 위원회 결성에 초대 멤버로 참여할 자격을 주지."

"영광입니다, 스승님."

"후후. 이래 봬도 내가 실질적인 마녀의 장인 거 알지, 에반 공자?"

"아, 그건 어제 셸룬으로 정해졌어."

"뭐!?"

경악하는 크테아실.

에반이 고개를 절레절레 젓는데, 품 안의 루이즈가 그의 옷소매를 조심스레 끌어당기며 말했다.

"스승님, 저도 참여해도 될까요……?"

"아니. 넌 이제 슬슬 몸을 좀 소중히 하라니까……."

이로써 멤버가 모두 모였다.

요마대전 클래식 시리즈 엔딩 이후의 일을 논의할 드림팀의 멤버가.

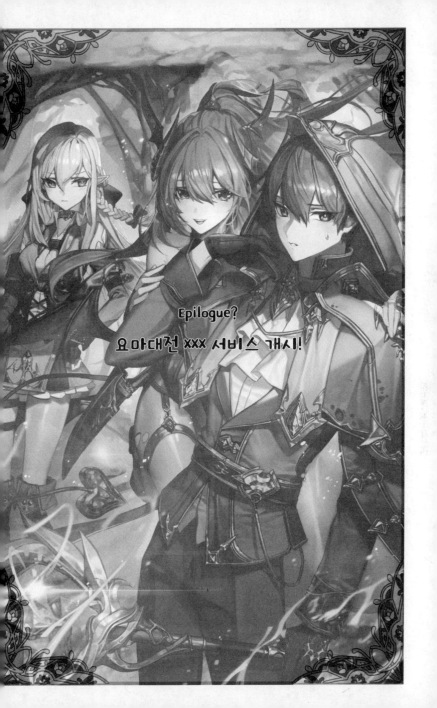

Epilogue?

요마대전 xxx 서비스 개시!

원탁에 많은 이가 둘러앉았다.

의장은 에반이었고, 양옆을 아리샤와 벨루아가 차지했다.

세레이나와 미로엘은 물론이고 메이벨도 오늘은 하녀로서
가 아니라 어스트레이의 멤버로서 자리했다.

마녀의 젊은 대표로서 물의 마녀 셀룬도 참석했고, 세상을 뒤
덮는 마법진을 관리하는 마녀 크테아실도 한자리 차지했다.

다른 어스트레이 멤버들도 전원이 모였고, 심지어는 전대
의 영웅인 레오 일행도 자리해 있었다.

현재 이 대륙에서 가장 넓은 제국 메르딘의 수장인 루이즈
또한 참석했다.

"오늘은 앞으로의 일들에 대해 얘기를 나눠 보려고 여러분
을 모았습니다."

에반이 담담히 선언하자, 버나드가 고개를 갸웃하며 말했다.

"무슨 일? 네 남은 결혼식 말이냐?"
"아뇨."
"그럼 또 누가 임신했나요?"
"당신들 나가."

스승이고 자시고 레오 부부와 버나드 부부를 쫓아내려고
했으나 벨루아가 말렸기에 한 번만 봐주기로 했다.

"요즘 제가 던전과 관련된 활동을 하고 있다는 건 아실 거
예요."
"우리 리안이 말하기를 네가 던전을 뜯어고치고 있다던데.
그 거짓말 진짜냐?"
"진짜예요."

에반이 진지한 표정으로 말하자 레오의 눈이 한층 빛을 발
했다.

"그러냐? 던전 안에서 뭐까지 가능한 거냐. 마신과 싸울 수
도 있냐?"
"철 좀 들어라, 이 녀석아."

옆에서 버나드가 레오의 머리를 때렸다.

"세 달마다 던전 역류가 일어나는데, 강한 몬스터를 만들어 낼 수 있다고 무한정 만들어 냈다간 인류가 멸망할 것 아니냐."

"내가 다 잡으면 문제없잖아!"

"제자한테도 발리는 놈이 마신을 몬스터로 만들어 놓으면 퍽이나 잘 잡겠다!"

"너도 인마, 제자 손 빌려서 엘릭시르 만들어 놓은 주제에!"

"할아버지들, 그만하세요."

세상을 구한 영웅들의 품격 높은 언쟁에 에반이 정색했다.

둘을 보고 있으면 정신이 신체를 따라 어려지는 게 사실이라는 것을 절실히 실감할 수 있었다.

……아니, 그냥 원래부터 그랬던 것 같기도 하고.

"에반 공자, 레디네 님은 안 오시는 거야?"

마녀 대표로 자리한 셸룬이—멜로니아로부터 모든 전권을 이양받았다는 모양이었다—조심스레 물어 왔다.

에반은 담담히 고개를 끄덕였다.

"어머니는 여태까지처럼 전면에 나서는 일은 없을 거야. 하지만 정말로 위험해지면 그땐 한 손 거들어 주겠다고 하셨어."

"후우, 안 오시는구나……."

어째선지 안도하는 셀룬.
레디네가 이 도시의 마녀들에게 얼마나 큰 영향을 끼치고 있는지 알 수 있을 것 같았다.

"게다가 샤레이도 있으니까."
"네, 그녀의 힘이 필요할 땐 제가 원격으로 빌릴 수 있어요."

가뜩이나 강한 샤레이가 레디네, 즉 아르파의 마력까지 가져온다면 못해도 에반의 절반쯤은 되는 마력을 행사할 수 있을 것이다.
하지만 이 자리에 모인 이들조차 그것이 얼마나 대단한 일인지 아직 제대로 깨닫지 못하고 있었기에, 방금 흘러나온 말을 가볍게 넘길 수 있었다.
레디네 앞에서는 벌벌 떠는 셀룬조차, 까딱하면 자신보다도 어려 보이는 마녀의 선조인 샤레이에 대해서는 제법 편한 자세를 취했다.

"샤레이 님은 괜찮아요. 헤헤."
"왜 어머니만 무서워하는 거야?"
"그야 내 시어머니가 되실 분이니까 그렇지! 반대로 샤레이 님은 나랑 같이 에반 공자를 노리는 동료잖아!"

아무래도 셀룬은 다른 마녀들과는 감성이 다른 모양이다.

"노, 노린다뇨! 저는 그저 신님께서 은총을 내려 주시면 그
것을 감사히……."

"아, 응. 샤레이는 더 자세히 말할 필요 없어."

과연 이런 녀석들을 데리고 앞으로 잘 헤쳐 나갈 수 있을까,
에반은 고뇌했으나 디오나까지 받아 주게 생긴 판국에 셀룬
이나 샤레이를 떨쳐 낼 수 있을 리가 없었다.

옆에서 히죽히죽 웃으며 '거봐라.' 같은 표정을 짓고 있는
버나드의 모습이 무척 얄미웠다.

"크흠, 에반. 던전의 개편에 대한 얘기를 하려고 사람들을
모은 거야?"

결혼식을 한 후로 얼마간 에반과 함께 힘낸 끝에 임신 진단
을 받고 한결 차분해진 아리샤가 어스트레이 부단장답게 상
황을 정리해 주었다.

"그건 어디까지나 일부에 지나지 않아. 하지만 일단 던전에
대한 얘기부터 하자고."

에반이 신호를 주자 정장을 입은 디오나가—물론 토끼 귀

머리띠는 착용하고 있었다―테이블 위에 놓여 있던 자그마한 상자를 조작했다.

그러자 벽에 드리워진 스크린에 갑자기 복잡한 영상이 나타났다.

무엇을 감추리오, 에반이 현대 지구에서 가져온 프로젝터를 켠 것이다.

"이건 뭐냐!?"

"이건 앞으로 만들게 될 던전의 구조도예요."

"그거 말고 저 마도구 말이다!"

"그건 당연히 비밀이죠."

에반은 개인 작업용으로 가장 좋은 성능의 컴퓨터는 물론 프린터, 프로젝터 등등 주변 기기까지 모두 갖추고 있었다.

하지만 전부 한 대뿐이었기에 아무리 버나드가 저것을 탐내도 줄 생각은 없었다.

그가 에반의 집무실에 놀러 온다면 플레이X테이션 게임을 같이 플레이할 의향은 있었지만.

"마도구 말고 화면을 보세요. 일단 지금 구성이 끝난 건 [어려움] 난이도의 20층까지입니다."

"던전의 난이도도 있단 말이에요!?"

"네. 물론 셰어든과 펠라티, 메르딘 모두 등장 몬스터는 달라도 난이도는 세세히 나눌 생각입니다."

에반은 자신의 계획에 대해 천천히 설명했다.

던전을 쉬움 100층, 보통 70층, 어려움 30층의 총 200단계로 나누어 설정할 계획이라는 것.

기존에 던전을 클리어했던 자들이 받은 축복은 보통 난이도의 던전을 70층까지 클리어한 것과 같은 수준의 축복이라는 것.

던전에 처음 입장할 때 도전자의 수준을 측정하여 쉬움과 보통, 어려움 난이도 중에서 적절한 난이도를 골라 들어갈 수 있게 하려고 한다는 것.

어느 던전에 먼저 도전해도, 던전을 모두 클리어했을 때 최종적으로 받게 되는 축복의 총량은 동일하다는 것.

"만렙이 200렙까지 확장됐다고 보시면 되겠네요. 나중에 던전에 들어가면 여러분의 레벨도 적절히 조절될 거예요."

"레벨이 뭔지는 이 자리에 모인 이들이라면 다들 대충은 알고 있습니다만…… 도련님, 이렇게까지 할 여유가 나는 겁니까?"

샤인의 질문은 아주 예리하고 중요했다.

에반은 고개를 크게 끄덕여 긍정했다.

"여유가 나. 마신이 죽은 탓에 놈을 묶는 데 쓰이고 있던 이 세상의 잉여 마력이 자유롭게 풀려났거든. 더구나 신앙도 폭주하고 있지. 그걸 모두 끌어모아 던전에 꼬라박고 있어서 사실 창조력…… 큼, 던전 개편에는 아무 문제가 없어."

실은 그것뿐만이 아니다.

에반이 이 세상에 직접 먹여 버린 대량의 엘릭시르, 그것 또한 세상을 크게 성장시켰다.

세상이 품을 수 있는 마나의 총량이 늘어난 것은 물론이지만, 마나의 생산량은 그것보다도 더욱 크게 늘어난 것이다.

본래라면 그렇게 남은 마력이 뭉쳐 기변을 일으키거나, 끔찍한 몬스터를 빚어내거나 한다.

에반은 바로 그런 마력들을 가져와 던전에 투자하고 있었던 것이다.

"아니, 그건……."
"단장님……."

모두 에반을 인간이 아닌 것을 바라보는 눈으로 보고 있었다.

물론 마신을 때려죽이는 시점에서 그의 무력이 하늘 끝에 달했다는 것은 알고 있었지만, 지금 에반이 논하는 것은 단순한 파괴력의 영역을 벗어난 얘기였으니까.

다들 새삼스럽게 충격을 받은 것이다.

"오히려 내가 이걸 끌어모으지 않으면 세상에 넘쳐 나는 마력이 또 이상한 몬스터들을 만들어 내겠지. 그걸 던전에 모아 통제하는 거야. 적절한 조치라고 생각하지 않아?"

"역시 신님이세요. 언제나 인간을 보살피시는군요."

다른 이들이 모두 어안이 벙벙해져 있는 가운데, 샤레이가 해맑은 얼굴로 그렇게 말했다.

사실 그를 신대에서 쫄쫄 따라다니며 찬양했던 샤레이에겐 세상을 마음대로 주무르는 지금 에반의 모습이 더 익숙했다.

그녀와 마찬가지로 에반의 신적인 모습에 대해 거부감이 없는 카틀레야는 마냥 그를 졸랐다.

"나 던전엔 언제부터 들어갈 수 있어? 더 강해질 수 있는 것 맞지?"

"응? 넌 마족이잖아."

마족은 던전에 들어가도 신의 축복, 즉 레벨 업을 겪을 수 없다.

당연하다. 애초에 레벨 업은 던전에 들어가는 인간들이 쉬이 죽지 않고, 살아남아 요마왕을 타도하길 바라는 신들의 의지로 인해 주어지는 축복이었으니까.

그것을 알고 있는 샤인이 본인의 본분을 잊지 않고 적절한 태클을 걸었으나, 에반이 고개를 저었다.

"레벨 업의 구조에 대해선 설명을 해 줬지?"

"그랬죠."

"그 축복 이젠 누가 주는 것 같아?"

"어…… 도련님?"

"그럼 내가 원하는 사람한테 축복을 주는 게 가능하겠어, 불가능하겠어?"

"……."

그것만으로 충분했다.

이젠 더 놀랄 것도 없어 보였는데, 벨루아가 차분하게 질문을 했다.

"도련님, 그렇다면 앞으로의 던전은 무엇을 대비할 건가요? 그저 인간을 강하게 만들려고 하시는 거라면, 너무 과해요."

"역시 루아야. 지금부터 그 부분에 대해 설명을 하려고 했었어."

에반은 프레젠테이션의 화면을 줄줄이 넘겼다.

쉬움 난이도부터 보통 난이도, 어려움 난이도에 이르기까지 대체적인 몬스터의 수준과 주어지는 축복의 단위를 설명해 놓은 페이지들이 나타났다가 사라지는 것을 보며 다들 경악을 금치 못했다.

하지만 다음 순간 나타난 화면 속 문구를 보곤 모두가 고개를 갸웃할 수밖에 없었다.

"현실 난이도? 이건 뭐냐?"

"어려움 난이도 다음의 던전인가요, 에반?"

"정확해. 어려움 난이도의 던전까지 모두 클리어하고 나면, 현실 난이도에 도전할 수 있게 되지. 그리고 이 현실 난이도는……."

에반은 화면을 하나 더 넘겼다.

여태껏 설정이 매우 꼼꼼했던 다른 자료들과는 달리, 유독 물음표가 많았다.

최대 몇 층까지인지도 모르고, 몬스터들의 수준에 대해서도 명확하게 정리해 놓은 것이 없다.

왜냐면, 그가 설정할 수 없는 것이기 때문이다.

"쉬움부터 어려움 난이도에 나타나는, 제가 만들거나 관리하는 몬스터들과는 달리…… 이 녀석들은 앞으로 우리 대륙에 나타날 놈들을 붙잡아다 풀어놓을 예정이에요."

"뭐라고?"

"도시 하나를 파괴할 수 있는 몬스터가 아무 때나 나타나면 곤란하잖아요. 그래서 앞으로는 그놈들이 나타나는 족족 던전의 힘으로 붙잡아 이 현실 난이도의 던전에 가둬 놓을 거예요. 그리고 어려움 난이도까지 던전을 클리어하고 검증된 이들이 여기에 들어가서 이놈들을 잡을 수 있게 하는 거죠."

그것은 다른 이들이 듣기에 굉장히 혁신적인 말로 들렸다.

대륙에 나타나는 몬스터를 던전의 힘으로 붙잡아 소환한다는 것부터가 경악스럽긴 했지만 그의 말대로 한다면야 여태껏 이계의 균열 탓에 중간계에서 일어났던 끔찍한 일들은 겪지 않아도 될 것이다.

더욱이 인간들을 성장시키려는 의도 또한 충분히 이해가 간다.

어려운 던전들을 클리어하고 능력을 키운 인간들이 많아야 이런 '진짜로 위험한' 몬스터들을 상대로 활약할 수 있을 테니까.

하지만 이 모든 일은 하나의 조건이 전제되어야만 성립이 되는데…….

"에반, 잠깐만요."

미로엘이 불안한 눈동자로 말했다.

"그러니까 에반의 말은…… 앞으로도 이 대륙에 혼원계가."
"이계의 균열 말이지? 응. 나타날 거야. 생각해 봐, 그건 처음부터 해결된 적이 없었잖아."
"음……? 하지만 당신이 마신을 죽였잖아요……?"

"무슨 소리야. 균열은 마신이 만들어 낸 게 아니잖아?"

"어?"

그 순간 회의장이 통째로 얼어 버렸다.

그 가운데 에반만이 담담히 얘길 이어 갔다.

"처음엔 내가 이계의 균열의 열쇠인 줄 알았지. 하지만 아니었어. 내가 과거와, 마신과, 세계의 저주와 연결된 존재였기에 균열을 막는 봉인을 자극하고 있을 뿐이었지. 그다음엔 마신이 키 카드가 되는가 했어. 하지만 그것도 아니었어. 마신은 어디까지나 그 균열을 이용해 중간계를 손에 넣고 싶어 할 뿐이었으니까."

"그, 그러면…… 이계의 균열은? 안 나타나고 있었잖아?"

"그건 마신을 봉인했던 마법이 이계의 균열까지 억제하고 있었기 때문이야. 하지만 봉인은 이미 효력을 잃었고, 균열은 이제 곧 다시 나타나게 될 거야."

아니, 실은 이미 나타나고 있었다.

현실 난이도의 던전 방에, 몇 마리씩이나 들어가 있다.

홀로 도시를, 나라를 대적할 수 있는 끔찍한 마물들이.

"우리는, 균열을 '이상 사태'라고 규정지은 시점에서부터 잘못하고 있었어."

에반이 피곤한 표정을 지으며 어깨를 으쓱였다.

"그건 이상도 뭣도 아냐. 세계가 발전하는 과정에서 자연스럽게 나타나게 되어 있었던 거야."

그도 여태까지 자신이 하고 있던 생각이 오해였다는 사실을 깨닫게 된 지 얼마 되지 않았다.

오죽하면 신격을 인정받았을 때까지도 모르고 있었겠는가.

그저 현실로 돌아가 마신을 마무리하기만 하면 모든 것이 끝나리라 철석같이 믿고 있었다.

그가 진실을 깨닫게 된 것은…… 그래.

지구에서, 요마대전 시리즈의 신작 시나리오를 확인했을 때였다.

"사실 이 부분은, 크테아실과는 이미 얘기가 되어 있었어. 그것들을 던전으로 끌어오는 데 마녀의 마법진을 사용해야 하거든."

"후흐, 난 다들 알고 있는 줄 알았는데 에반 공자와 나만의 비밀이었어? 부끄럽게……."

"저도 알고 있었습니다만."

기분 나쁘게 웃는 크테아실을 루이즈가 째려보았다.

에반은 굳어 버린 회의실의 공기를 박수를 두 번 치는 것으로 깨트렸다.

"다들 그렇게 놀랄 필요 없어요. 그래서 제가 이런 대책들을 준비하고 있었던 거니까. 제가 계획한 던전이 제대로 돌아가기만 하면 크게 문제 될 것 없어요."

새로운 요마대전 시리즈의 주역이 마녀들이었던 것은 그래서.

과거를 위해 준비해 놓았던 마법진이 구조부터 잘못되었음을 깨닫고, 중간계가 파괴되는 와중에 올바른 답을 찾아 미래를 구하는 것이 요마대전 신 시리즈의 내용이었다.

그것을 에반은 지금 시점에 이미 올바르게, 혹은 그 이상으로 뜯어고쳐 필요 없는 희생을 차단한 것이고.

데빌 룬? 그건 그저 중간 시나리오에 불과하다.

디폴트의 진정한 임무는 고작 데빌 룬을 진정시키는 것 따위가 아니었던 것이다.

"제가 여러분들을 모은 건 다른 일 때문이에요. 몬스터는 잡아야 한다지만, 사람을 관리하는 건 다른 일이니까."

"사람……?"

"그런 의미에서 디폴트. 묻고 싶은 게 있는데."

"네, 스승님."

회의실의 분위기를 대강 알아차린 디폴트가 딱딱하게 대답했다.

"솔직하게 대답해 줬으면 좋겠는데."
"솔직하게 대답하겠습니다!"
"넌 스테이터스 같은 거 안 보이지?"
"그게 뭡니까?"

역시, 디폴트는 알지 못한다.
하지만 네임이 셰어든을 떠나기 얼마 전, 그는 세이브의 도움에 의해 자신이 타고난 힘…… 스테이터스 확인 능력을 확실하게 각성했다.
본래 스테이터스를 각성해야 할 시기에 인큐버스에게 붙들려 그것이 늦추어졌던 네임은 세이브와 접촉하면서부터 서서히 그 능력에 눈을 뜨기 시작해, 얼마 전 비로소 완전히 '주인공'으로서 각성할 수 있었다는 얘기다.
하지만 디폴트는 그렇지 못하다.
단순히 각성의 시기가 늦어서?
아니, 그렇지 않다.

'디폴트는 주인공이 아니었던 거지.'

하지만 일부 게임에는 주인공이 아니면서도 플레이어가 이름을 설정할 수 있는 존재가 있다.

바로 파트너 캐릭터, 소위 말하는 히로인이다.

"넌 여자로 태어날 수도 있었다는 거 알아, 디폴트?"

"가, 갑자기 무슨 말씀이십니까, 스승님?"

"디폴트 설정이 남자였다는 거지. 아쉽네, 여자 버전도 보고 싶었는데."

"디폴트는 제 이름…… 네? 설정? 버전?"

그런데 디폴트가 영문을 모르겠다는 반응을 보이던 그때였다.

갑자기 문이 벌컥 열리며 호위 기사 다인이 나타났다.

"도련님, 지금 셰어든에 이상한 일이 벌어지고 있습니다!"

"아…… 벌써 오기 시작했어?"

"와? 뭐가?"

"같이 나가 보면 알아. 여기까진 미리 설명해 두고 싶었는데."

에반은 한숨을 내쉬며 회의실에 있던 일행들을 모조리 이끌고 밖으로 나갔다.

그러자 그들의 눈에도 보였다.

셰어든 시내 광장에서 갑자기 펑펑 솟아나고 있는 인간들의 모습이.

"헐, 여기가 그 찐따 같던 셰어든 맞냐?"

"진짜 요마대전은 전설이다……."

"가상현실 개쩌네, 공기 리얼한 거 봐! 진짜 세계 최강의 기업이다……!"

"그런데 여기 왜 이렇게 발전했어? 게임 CG로 본 거랑 너무 다른데?"

"요마대전4 DLC로도 못 본 것 같은데."

저마다 다양한 외모를 갖고 있지만, 옷만은 공통되게 이상한 내복 같은 것을 입고 있는 사람들.

소식을 듣고 곧장 달려온 병사들도 해괴한 말을 내뱉으며 주위를 둘러보고 있는 인간들을 멀리서 포위하기만 하고 제대로 대응하지 못하는 실정이었다.

"어라, 그런데 로그아웃 안 되는데?"

"이제 막 접속해서 왜 로그아웃을…… 어라? 진짜 안 되는데?"

"미친? GM 불러 GM!"

"이러다 막 데스게임 시작하는 거 아냐?"

"님들, 병사 같은 애들이 우리 포위하고 있는데 위험한 거 아님……?"

멋대로 도시에 침범한 주제에 제멋대로 떠들고 있는 내복

차림의 인간들.

모두가 말을 잃은 가운데, 에반은 체념한 표정으로 말했다.

"앞으로 이런 사람들이 각 던전 도시에 몰려들 거야. 우리 세상의 위기에 맞서 싸우기 위해 신들이 불렀다는 설정…… 아니, 그냥 끌려 들어왔다고 생각하면 돼."

그때. 사람들의 시선이 자연스럽게 에반에게로 쏠렸다.

그야 에반 일행도 대로변에 나와 있었으니, 그중 가장 아름다운 존재인 에반에게 시선이 꽂히는 것은 필연이라고 할 수 있었다.

"헐, 에반이다!"
"살아 있어!? 에반이!?"
"아, 미친! 에반 겁나 잘생겼어!"
"아, 로그아웃 안 된다고, 미친놈들아!"
"지금 로그아웃이 중요해!? 에반이 살아 있다는데!"
"아, 에반 살아 있어! 진짜 살아 있어, 우리 에반!"

벨루아가 끼기긱, 기름칠이 덜 된 깡통 로봇처럼 부자연스럽게 고개를 돌려 에반에게 시선을 고정했다.

"도련님, 혹시 저 기괴한 자들과 친분이 있으신가요……?"

"루아, 미안. 나도 모르겠어."

실은 너무 잘 알 것 같지만, 에반은 과거 전생의 자신……
파편도 가입했던 에반 팬클럽의 존재에 대해 영원히 입을 다
물고 있기로 했다.
요마대전5 따위가 아닌 진정한 신 시리즈,
요마대전 온라인(VR)의 서비스가 시작된 날이었다.

《죽지 않는 엑스트라》 완결